Hatice Akyün

Einmal Hans mit scharfer Soße

Hatice Akyün

Einmal Hans mit scharfer Soße

Leben in zwei Welten

Goldmann Verlag

Originalausgabe

FSC
Mix
Produktgruppe aus vorbildlich
bewirtschafteten Wäldern und
anderen kontrollierten Herkünften
Zert.-Nr. SGS-COC-1940
www.fsc.org
© 1996 Forest Stewardship Council

Verlagsgruppe Random House FSC-DEU-0100
Das für dieses Buch verwendete FSC-zertifizierte Papier *EOS*
liefert Salzer, St. Pölten.

5. Auflage
Copyright © 2005 by
Wilhelm Goldmann Verlag, München,
in der Verlagsgruppe Random House GmbH
Lektorat: Christine von Brühl
Satz: Uhl + Massopust, Aalen
Druck und Bindung: GGP Media GmbH, Pößneck
Printed in Germany
ISBN 10: 3-442-31094-6
ISBN 13: 978-3-442-31094-4

www.einmalhansmitscharfersosse.de
www.goldmann-verlag.de

Dem einen zukünftigen Hans

Inhalt

1. Neulich in der Parallelwelt 7
2. Mokkagläser mit Goldrand 13
3. Das Schweigen der Lämmer 24
4. Reise ins Land der Mütter 44
5. Duisburg, ich häng an dir 63
6. Einmal Hans mit scharfer Soße 77
7. Mein wunderbarer Wachs-Salon 87
8. Das religiöse Erlebnis 98
9. Vier Hochzeiten und ein Blaues Auge 104
10. Der König von Duisburg 125
11. Hans und Helga 136
12. Ayşe liebt Hans 152
13. Sie sprechen aber gut Deutsch 169
14. Deutsche Ayşe – Deutsche Eiche 175

Dank 191

1 *Neulich in der Parallelwelt*

Mein Name ist Hatice. Ich bin Türkin mit deutschem Pass, für Politiker ein Paradebeispiel einer gelungenen Integration, für deutsche Männer die verbotene, exotische Frucht und für deutsche Frauen der Grund, ihre Haare zu hassen. In einer Kontaktanzeige könnte ich mich als »rassige Südländerin mit feurigem Temperament und einem äußerst gebärfreudigen Becken« beschreiben. Und nein, mein Name bedeutet übersetzt nicht die »unter der Morgendämmerung aufgehende, mit Tau benetzte Sonnenblume von den Hügeln Anatoliens«. Mein Name hat keine Bedeutung. Oder er bedeutet zumindest auch nicht mehr als Helga oder Nicole.

Die erste Frau unseres Propheten Mohammed hieß Hatice, sie war die erste Muslime. Ein Perser, der mich einmal in einer Berliner Bar rumkriegen wollte, erzählte mir, dass mein Name so viel bedeutet wie »die Frau, der man nicht widerstehen kann«. Zu Hause googelte ich das zur Sicherheit nach und fand heraus, dass »die Frau, der man nicht widerstehen kann« ganz anders klingt und der Perser vielleicht gerne poetischen Blödsinn erzählt, aber mich damit noch lange nicht aufs Kreuz legen kann.

Ich bin Journalistin, das heißt, ich arbeite viel, habe wenig Geld und noch weniger Zeit. Ich trage kein Kopftuch und bin nicht zwangsverheiratet, weswegen ich noch immer keinen

Ehemann habe. Ab und zu fahre ich in den Urlaub, meistens in die Türkei, wo meine Eltern ein Ferienhaus besitzen und meine Verwandtschaft mich mit den Worten zu begrüßen pflegt: »Hast du jetzt endlich einen Hans gefunden?« Wenn meine Familie gerade nicht in der Türkei ist, besuche ich sie regelmäßig in Duisburg, wo sie auch ein Haus besitzt und mich alle jedes Mal mit genau denselben Worten empfangen: »Hast du endlich einen Hans gefunden?«

Hans und Helga heißen alle Deutschen bei uns Türken. Und es ist klar, dass Hans ein braver »Brötchenholer« ist. Zu seinem ersten Date kommt er gerne auf dem Fahrrad, mit buntem Fahrradhelm und Hosenschutz. Mit seinem eierförmigen Helm, dem eingezogenen Kopf und den strampelnden Beinen sieht er ein wenig aus wie eine Kröte auf Wanderung. Die hochgebundene Hose, die käsigen Beine und die Druckstelle, die der Helm auf seiner Stirn hinterlassen hat, zerstören jegliche Lust auf ihn, und man bekommt unweigerlich panische Angst davor, Hans ganz ohne Hose sehen zu müssen. Wenn der Kellner beim Zahlen fragt, zusammen oder getrennt, dann antwortet Hans höflich und korrekt – und allenfalls mit einem verschämten Seitenblick auf Helga – getrennt.

Helga wiederum würde niemals zum Friseur gehen, einfach nur um sich die Haare fönen zu lassen. Sie trägt keine Absätze, die höher sind als vier Zentimeter, und was der perfekte Bogen einer gezupften Augenbraue ist weiß sie auch nicht. Sie ist aber sehr interessiert daran, es zu erfahren. Und man kann den ganzen Abend beieinander sitzen und herrlich mit Hans und Helga diskutieren.

Hans, das wissen wir auch, führt seinen Hund Gassi und sammelt dessen Kothäufchen in einer Tüte zusammen. Seine Möbel baut er nach Aufbauanleitung zusammen und arbeitet dabei überlegt und aufmerksam. In seinem Werkzeugkoffer lagert immer das passende Gerät, und falls es ein Problem gibt, fährt er mit dem Möbelstück zurück zum Verkäufer, beschwert sich über die mangelhafte Anleitung und verlangt eine Lösung für das Ärgernis.

Fatma, eine meiner Schwestern, die seit ihrer Hochzeit in der Türkei lebt, versteht überhaupt nicht, warum ich auf deutsche Männer stehe. »Warum tust du dir das bloß an?«, ruft sie ins Telefon, während sie auf ihrem Balkon in Izmir sitzt und Tee trinkt. Es gibt so vieles, worüber Fatma nur den Kopf schüttelt. Zum Beispiel, wenn ich ihr von meiner täglichen Ration Vollkornbrot erzähle oder von meinen deutschen Freunden und ihren Familien, die sich nur an Weihnachten sehen. Oder davon, dass jeder sein eigenes Leben lebt und wir alle unsere eigene Wohnung haben. »Fühlst du dich nicht einsam?«, fragt sie mich dann besorgt. Ich erkläre ihr, dass ich viel arbeite und froh bin, wenn ich abends einmal niemanden sehen muss. »Du machst etwas falsch«, sagt sie, wenn sie meine müde Stimme hört.

Natürlich mache ich etwas falsch. Ich versuche, in zwei Welten gleich gut zurechtzukommen, die sich einfach nicht unter einen Hut bringen lassen. Ich verstehe mich ja selbst nicht, wenn ich gerade wieder einmal aus der Türkei nach Berlin zurückgekehrt bin und schlaflose Nächte verbringe, weil mir eine Freundin dort düstere Prognosen aus dem Kaffeesatz gelesen hat.

Ich hatte meinen türkischen Mokka noch nicht ausgetrunken, als sie mir mein goldenes Tässchen schon aus der Hand riss und den Satz auf die Untertasse stülpte. Dann beugte sie sich nach vorn, ließ ihre zehn Finger knacken und sagte bedeutungsschwanger: »Schauen wir doch mal, was dir die Liebe so bringen wird.«

»Ach, eigentlich möchte ich das gar nicht wissen«, sagte ich vorsichtig.

»Oh, du hast ein paar Sorgen, aber die wirst du bald loswerden«, meinte sie unbeirrt. »Ich sehe es, weil sich fast der ganze Kaffeesatz vom Rand der Tasse gelöst hat. Es wird einen Wendepunkt in deinem Job geben. Ich sehe zwei Konkurrenten. Ein kräftiger Mann wird verschwinden und deinen Weg nach oben freimachen.«

»Klasse«, dachte ich. »Vielleicht ist ja was dran?«

»Du wirst einen großen Mann treffen, einen deutschen Hans, bei dem wirst du aber nicht lange bleiben.«

»Ich will aber bei ihm bleiben«, flehte ich.

»Du wirst einen kleinen Mann kennen lernen und mit ihm einen Sohn zeugen«, las sie mit großer Entschlossenheit weiter.

»Halt, stopp, geh zurück zu dem großen Mann, ich stehe auf große Männer. Auf große, blonde, blauäugige Männer. Außerdem wünsche ich mir eine Tochter«, schrie ich und versuchte ihr die Tasse aus der Hand zu reißen.

»Das Schicksal kann man nicht austricksen«, lächelte sie geheimnisvoll. Dann drehte sie rasch ihre eigene Tasse um, blickte nur ganz kurz in den Kaffeesatz, sah aus dem Fenster, wo am Horizont gerade die Sonne unterging und die Fischerboote am Ufer in goldgelbes Licht tauchte, und schmunzelte zufrieden in sich hinein.

Trotzdem bleibe ich meinen Vorlieben treu. Meine Freundinnen in der Türkei behaupten, ich sei schon fast wie eine Deutsche. »Du hast ein frostiges Herz, wo ist nur deine Sinnlichkeit und Leidenschaft hin?«, fragen sie mich. »Du kannst die größte Karriere machen, die schönste und reichste Frau sein, doch wenn du keine Liebe und Wärme für einen Mann empfindest, bist du keine richtige Frau.« Sie sagen, eine türkische Frau sei warm und weich. Sie sei wie ein Seidentuch, das man hochwirft und das in weichen Wellen wieder heruntergleitet. Sie sei stark und robust und könne alles vereinen: Familie, Kinder und Karriere, ohne dabei ihre weibliche Seite zu verlieren.

Wie würden wohl meine türkischen Freundinnen meine deutschen Freundinnen finden, die in ihren Designer-Hosenanzügen, mit streng zurückgekämmten Haaren und unterdrücktem Babywunsch in den Chefetagen tagtäglich ihren Mann stehen müssen, wenn schon ich für sie meine Weiblichkeit verloren habe?

Die Türken nennen die Deutschen »hırslı«, die Ehrgeizigen. Sie bewundern sie für ihre Zielstrebigkeit und Konsequenz, sehen aber auch den Preis, den Hans und Helga dafür zahlen müssen. Die beiden müssen sich entscheiden, klar und eindeutig: entweder Kinder oder Beruf. In der Türkei bekommt man die Kinder, egal ob man berufstätig ist oder nicht. Es ist ja auch immer noch die Großfamilie da, die sich freut, endlich wieder kleine Kinder beaufsichtigen zu dürfen.

Den richtigen Hans habe ich übrigens noch nicht gefunden. Ein Hans, der leidenschaftlich wäre und galant genug, mir beim ersten Date – wie in der Türkei üblich – die Autotür aufzuhalten, ein Hans mit scharfer Soße sozusagen, ist mir noch nicht begegnet. Und türkische Männer trauen sich nicht mehr in meine Nähe. Seither bin ich das Sorgenkind meiner Familie.

Sie kennen meine Familie noch nicht? Dann kommen Sie und setzen Sie sich, und vergessen Sie nicht, etwas zu essen mitzubringen, denn das macht man so bei uns. Und stellen Sie sich auf einen langen und vergnüglichen Nachmittag ein! Ich entführe Sie in ein Deutschland, das Sie unter Garantie noch nicht kennen. Ein Land mit Geschichten aus 1001 Nacht mitten im Ruhrpott, denn dorthin ist mein Vater, ein Landwirt aus Anatolien einst gezogen, um hier zu arbeiten. Man könnte beinahe sagen, wir sind eine ganz normale türkische Gastarbeiterfamilie in Deutschland. Aber stellen Sie sich auf eine lange Reise ein, denn es geht um so etwas wie den Eintritt in ein anderes Universum.

Ach ja, und noch etwas: Auch wenn sonst niemand mehr daran glaubt – ich werde meinen Hans schon noch kriegen, und dann werde ich viele Töchter mit ihm haben, und er wird die Autotür aufhalten und mich ins Restaurant einladen (und ich war natürlich extra beim Friseur, nur um mir die Haare fönen zu lassen). Und am nächsten Morgen wird er zum Frühstück Zeitung und Brötchen holen!

2 *Mokkagläser mit Goldrand*

Darf ich Ihnen meine Familie vorstellen? Da ist mein Vater, der mit seinen grünen Augen nicht einmal türkisch aussieht, dafür aber zu jeder Jahreszeit seinen Grill im Garten aufstellt. Er wäre zu gern der Patriarch im Haus, aber vier Töchter, sechs Enkelinnen und seine anatolische Vollblutehefrau bieten ihm keine allzu großen Entfaltungsmöglichkeiten in dieser Rolle.

Mein Vater ist voller Sehnsucht nach seinem Zuhause – je nachdem, wo er sich gerade aufhält. Ist er in Deutschland, jammert er über das schlechte Wetter, die wässrigen Tomaten oder die entseelten Deutschen, und ihn packt regelmäßig der Wunsch, in die Türkei aufzubrechen. Die kennt mein Vater aber mittlerweile nur noch im Sommer. Den Winter verbringt er in Deutschland, weil in seinem Haus in Duisburg die Zentralheizung besser funktioniert. Hier schwärmt er vom blauen Meer und der fruchtbaren Erde seines Gartens, er sehnt sich nach dem Gebetsruf des Muezzin, dem Geruch der Basare, und er vermisst die Herzlichkeit der Menschen, mit denen er stets ein Schwätzchen auf der Straße halten kann.

Kaum ist er in der Türkei angekommen, beschwert er sich über die schlechten Autos, die korrupten Behörden, Stromausfälle und das miserable türkische Gesundheitssystem. Die Sehnsucht nach Deutschland überwältigt ihn, und er fiebert seiner Krankenkassen-Chipkarte und seinem Mercedes entgegen.

Niemals würde mein Vater ein anderes Auto fahren als einen Mercedes. Er war schon immer qualitätsbewusst, was seine Fortbewegungsmittel angeht. Er stieg in unserem anatolischen Dorf Akpınar Köyü vom Pferd, kam nach Deutschland und kaufte sich sehr schnell einen nagelneuen Mercedes. Alle vier Jahre wechselt er ihn gegen ein neues Modell aus. Das Einzige, was sich ändert, ist die Farbe.

Meine Mutter hingegen ist, was die Frage nach ihrem Zuhause anbelangt, etwas unkomplizierter als mein Vater. Solange es genügend türkische Gemüsehändler, Metzger und Supermärkte gibt, wo sie Lebensmittel für ihre zahlreichen Mahlzeiten erstehen kann, ist es ihr egal, in welchem Land sie sich gerade aufhält. Nur manchmal vermisst sie den Aldi, wenn sie zu lange in der Türkei war.

Es gibt zwei Gesetze, die bezüglich meiner Mutter bei uns ohne Ausnahme gelten: Nur sie darf auf dem Beifahrersitz des Mercedes sitzen, und sie hat immer Recht. Hat sie Unrecht, hat sie trotzdem Recht, und niemand in der Familie würde auf die Idee kommen, ihr zu widersprechen. Sobald man sie kritisiert, ziehen sich Zornesfalten auf ihrer Stirn zusammen, sie bäumt sich auf und klagt mit bebender Stimme: »Ich habe dich neun Monate in meinem Bauch getragen, habe dir sechs Monate die Brust gegeben, du warst von meinen sechs Kindern das schwierigste, ist das der Dank für all meine Strapazen?«

Ihre Augen werden ganz klein, und sie zieht sich gekränkt in eine Ecke des Sofas zurück. Dann muss man sie in den Arm nehmen und ihr sagen, wie großartig sie sei und dass nur unter ihren Füßen das Paradies liegt. Aber für seichte Worte ist meine Mutter nicht immer empfänglich. Sie macht es uns nicht einfach, da ist sie sehr türkisch. In dieser verfahrenen Situation hilft nur noch die höchstmögliche Anerkennung für

14

die Leistungen einer türkischen Mutter: ein demütiges Verhalten und das Versprechen, dass man sie in Zukunft immer zum Einkaufen fahren wird. Manchmal reicht auch das nicht für eine Versöhnung aus, so dass der türkische Vater eingreifen muss, der sie davon überzeugt, dass die ganze Familie ohne sie verloren wäre. Erhebt sie sich und geht murmelnd in die Küche, sind das Zeichen dafür, dass ihr Zorn langsam verraucht.

Neben solchen harmlosen Zänkereien gibt es Situationen, in denen meine Mutter hochgeht wie eine zu früh gezündete Bombe. Und niemand weiß genau, warum. Ich erinnere mich an einen Tag, an dem mein Vater in die Moschee gegangen war. Meine Mutter und ich wollten mit der Straßenbahn zum Einkaufen fahren. Gemeinsam machten wir uns auf den Weg und kamen dabei an einer Baustelle vorbei. Zwei Bauarbeiter standen in der Grube und hantierten mit schwarzen Kabeln. Meine Mutter zog mich am Ärmel weiter. Da pfiff einer der Männer hinter uns her. Meine Mutter ließ meinen Arm los, lief die fünf Meter zurück, zog vor der Grube ihren rechten Schuh aus und schrie: »Du Ascheloche, du Schiweine!« Dann hieb sie den beiden Jungs ihre Deichmann-Gummisohlen auf den Kopf. Sie zog den Schuh wieder an und ging mit mir zur Haltestelle, als sei nichts gewesen.

Die Männer in der Grube strichen sich mit der Hand über den Kopf und starrten meiner Mutter und mir mit weit geöffneten Mündern hinterher. Diese Reaktion hatten sie nicht erwartet – schon gar nicht von einer türkischen Frau mit Kopftuch. Bis heute weiß ich nicht, warum meine Mutter auf einen harmlosen Pfiff so empört reagiert hat. Mein Vater sagte, dass es unangemessen und respektlos sei, einer türkischen Frau nachzupfeifen und dass meine Mutter sich in ihrem anatolischen Stolz gekränkt gefühlt habe. Dabei schaute er in die

Küche, in der meine Mutter am Herd stand, und lächelte sie verliebt an.

Wer uns besuchen kommt, lernt nicht nur meine Eltern kennen, sondern macht unweigerlich auch die Bekanntschaft mit ihrer orientalischen Wohnungseinrichtung. Das Wohnzimmer ist eine einzige Sofalandschaft. Mein Vater prahlt mit seinem Mercedes, meine Mutter mit ihren Couchgarnituren. Sie besitzt zwei Schlafsofas, ein Schaumstoffsofa mit drei Sitzen, ein Schaumstoffsofa mit zwei Sitzen und zwei passende Sessel in den Farben Grau und Braun mit floralem Muster. Zusätzlich steht in unserem Wohnzimmer eine beleuchtete Schrankwand mit integrierter Vitrine, dessen Glas ebenfalls ein Blumenmuster schmückt. In der Vitrine verwahrt meine Mutter Teegläser mit Goldrand, Mokkagläser mit Goldrand, Vasen mit Goldrand und Dutzende Bilderrahmen mit Goldrand, in denen Fotos unterschiedlicher Vertreter unserer umfangreichen Verwandtschaft kleben. In der vier Meter langen Schrankwand präsentieren sich drei Kaffeeservice, drei Tafelservice, Schnellkochtöpfe und mehrere Teflonpfannen.

Ich bin diese Wohnungseinrichtung so gewöhnt, dass sie mir jahrelang nicht aufgefallen ist. Erst als ich Mitte zwanzig war und hin und wieder Freunde aus meiner Parallelwelt nach Hause mitbrachte, fiel mir auf, wie stark sie sich von dem unterscheidet, was in Deutschland sonst so üblich ist. Ähnlich ist es mit dem Deutsch, das meine Eltern sprechen. Meine Mutter mag keine Konsonanten. Es fällt ihr schwer, zwei von ihnen hintereinander auszusprechen. Das liegt daran, dass sie im Türkischen sehr selten vorkommen und wenn doch, dann nur am Ende eines Wortes. Um dem Problem auszuweichen, setzt meine Mutter einfach einen Vokal zwischen die Konsonanten. Sie fährt nach »Kölün«, wohnt in »Düsburug«, ihre Töchter schauen viel zu häufig in den »Schiepigel«, unser Onkel lebt in

»Schututtgart«, unsere Cousine in »Nürünberg«, ihr Sohn Mustafa soll beim Autofahren auf die »Schitarasse« gucken und mein Vater fegt die »Schiteine« von der Einfahrt.

Probleme bereiten ihr auch die Artikel. »Wozu sollen die gut sein?«, fragt sie mich ungehalten, wenn ich ihr erkläre, dass es »der Tisch«, »die Speisen« und »die Freude« heißt. Ich sage, dass Sätze sehr holperig klingen würden, ließe man die Artikel einfach weg, und gebe ihr ein Beispiel: »Wenn die Speisen auf dem Tisch stehen, ist die Freude groß.« Im Türkischen gibt es kein grammatikalisches Geschlecht, weder männlich, weiblich noch sächlich. Meine Mutter meint, dass es Unsinn sei, aus allen Dingen Männer und Frauen zu machen, und fragt, ob sie tatsächlich nötig seien, weil sie bisher jeder verstanden hätte, wenn sie sagte: »Wenn Essen auf Tisch, alle viel freuen.«

Verglichen mit meiner Mutter hat mein Vater nur geringe Probleme mit der deutschen Sprache. »Meine Tochter immer viel arbeiten«, berichtet er seinen Nachbarn. Wenn ich versuche, meinem Vater die richtige Satzstellung beizubringen oder seine Aussprache zu verbessern, sagt er, ich soll bloß ruhig sein, weil er mir schließlich mein erstes deutsches Wort beigebracht hätte und ich es nicht ausschiprechen konnte. Ich habe anscheinend auf die Frage nach unserer Hausnummer mit »tüff« anstelle von fünf geantwortet. Den vorsichtigen Einwand, dass ich zu diesem Zeitpunkt erst drei Jahre alt war, lässt er nicht gelten.

Mein jüngerer Bruder Mustafa hat dagegen ein Problem mit der türkischen Sprache. Viele Wörter, die er häufig benutzt, kennt er nicht auf Türkisch und behilft sich mit kreativen Neuschöpfungen. Er sagt: »Arbeitsamta gitmem« (Ich gehe nicht zum Arbeitsamt) oder: »Arzt krank yazdı« (Der Arzt hat mich krankgeschrieben). Nachdem ich Langenscheidts Taschenwörterbuch Türkisch-Deutsch konsultiert hatte, habe ich ihn belehrt, dass er zum »İş ve İşçi Bulma Kurumuna« (Arbeits-amt) gehen solle, »ciddi bir hastalığın olmadan rapor alarak işe gitmemek« (krankfeiern) sicher nicht seine Chancen erhöhe, den Job zu behalten, und ich sowieso glaube, dass er es sich in der »sosyal hamak«, der sozialen Hängematte, verdammt ge-mütlich macht.

Mustafa ist neben mir das andere schwarze Schaf in der Familie. Er ist Anfang zwanzig und ein Filou, der mit Handys und Markenklamotten Geschäfte macht. Manchmal profitiere ich von seinem Handel, dann verkauft er mir etwas sehr güns-tig, weil ich doch seine »Schiwesta« bin. Er ist ein Macho mit äußerst liebenswerten Seiten, und er könnte perfekt Deutsch sprechen, aber das will er nicht. Wenn ich ihn frage, wie es denn mit seiner neuen Freundin läuft, antwortet er: »Ey, hab isch mit die Schuluss gemacht.« Dann korrigiere ich ihn: »Mustafa, das heißt, mit ihr habe ich Schluss gemacht.« Und er sagt cool, mit einem schiefen Lächeln: »Is Määdschen, is doch die.« Und wenn seine aktuelle Freundin vor dem Kleider-schrank steht und ihn fragt, was sie tragen soll, antwortet Mus-tafa bloß im Vorbeigehen: »Die Einkaufstüten.«

Mein anderer Bruder Mehmet ist angepasster und weniger draufgängerisch. Er ist gerade Ende zwanzig und eröffnete vor zehn Jahren sein erstes Computerfachgeschäft, in dem er tür-kischen Kunden die neue Technologie erklärte, und zwar in der Sprache, die sie auch verstanden – auf Türkisch. Mittler-weile besitzt er im Ruhrgebiet drei brummende Läden und ist der Prototyp eines erfolgreichen Türken. Gefragt nach seinen türkischen Eigenschaften, betont er seinen Ehrgeiz, seinen immerwährenden Fleiß und seine ausnahmslose Pünktlich-keit, und ich komme nicht umhin festzustellen, dass er ein wenig aussieht wie der Frauenschwarm Justin Timberlake.

Auf Eigenschaften wie Mut, Stolz und Verteidigung der

Ehre, die für mich eigentlich türkisch sind, konnte ich mich bei ihm noch nie verlassen. Ganz im Gegenteil, als mein erster Freund mit mir Schluss gemacht hatte, ging ich zu meinem Bruder und befahl ihm: »Knöpf dir mal den Blödmann vor, und regle das für mich. Er hat deine Schwester gedemütigt. Du bist doch Türke! Warum passiert hier nichts?« Er sah mich vorsichtig an und sagte: »Willst du nicht lieber noch mal mit ihm reden?«

Dann gibt es noch meine drei Schwestern. Wenn ich das Bedürfnis nach Leidenschaft und Heißblütigkeit habe, bin ich bei meiner jüngeren Schwester Fatma besser aufgehoben, die seit ihrer Hochzeit in der Türkei lebt. Meistens sitzt sie auf dem Balkon, wenn ich anrufe, und immer hat sie Zeit für mich. »Warum tust du dir das bloß an?«, fragt sie einmal mehr, wenn ich ihr von meinem stressigen Berufsleben erzähle. »Ich sitze gerade hier und trinke Tee. Mein Mann ist bei der Arbeit, die Kinder in der Schule, und nachher gehe ich zum Friseur.« Sie trägt immer die trendigsten Frisuren, ihre Nägel sind rot lackiert, die Augenbrauen perfekt gezupft. Kurz bevor ihr Mann nach Hause kommt, geht sie rasch einkaufen, damit etwas zum Essen da ist.

Ihr Mann ist in Izmir an der türkischen Ägäisküste aufgewachsen. Er kommt aus sehr gutem Hause, ist gebildet und kennt anatolische Dörfer nur aus dem Fernsehen. Um ihm Deutschland zu zeigen, überredete Fatma ihn, ihre Flitterwochen in Duisburg zu verbringen. Das war vor über zehn Jahren, und seitdem weigert er sich, mit ihr nach Deutschland zu reisen. Er sagt, dass ihn die schmutzige Luft krank mache, das Wetter katastrophal sei und die Deutschen griesgrämig. Mittlerweile sagt meine Schwester das auch und rümpft die Nase über mein fades und graues Leben in Deutschland.

Meine jüngste Schwester heißt Elif, ist ebenfalls verheiratet und lebt mit ihrer Familie im Ruhrpott. Sie hat einen Deutsch-Türken geheiratet, den sie bei McDonald's kennen gelernt hat. Mit ihm hat sie zwei Töchter und einen Sohn, die kaum mehr türkisch sprechen, und eine Satellitenschüssel, die sie mit ihrer Familie täglich leer guckt.

Elif ist eine junge Deutsch-Türkin, die ihre Kleider bei H&M und ihre Lebensmittel im deutschen Supermarkt kauft, den Sommerurlaub in einer türkischen Ferienanlage verbringt, aber seit der Geburt ihrer zwei Töchter deren künftige Aussteuer in ihrem Schlafzimmerschrank sammelt. Die beiden denken zwar noch lange nicht ans Heiraten, aber Elif konnte gar nicht früh genug anfangen, Rüschen an Bettwäsche und Perlen auf Hausschuhe zu nähen, unschuldige Handtücher mit einer Blumenborte und weiße Servietten mit Goldrand zu versehen. In ihren Schubladen stapeln sich Tischdecken, gehäkelte Deckchen und Tüllgardinen. Sie besteht darauf – das alles braucht die türkische Braut, um ihre Wohnung später einzurichten. »Ich musste meine Aussteuer noch mit der Hand nähen«, sagt sie, wenn ihre Töchter die Nase rümpfen. Auf dem Schrank bewahrt sie zwei Körbe auf, die sie mit feinstem weißem Satin bezogen hat. Sie werden eines Tages das Behältnis sein für Unterwäsche, Strümpfe, Kopftücher und Pantoffeln, die sie ihren Töchtern als Bräuten überreichen will.

Meine älteste Schwester heißt eigentlich Gönül, wird aber von uns fünf jüngeren Geschwistern Abla genannt. Das bedeutet große Schwester, und alle großen Schwestern werden Abla gerufen. Wenn ich von ihr erzähle, sage ich »Ablam«, meine große Schwester. Sie ist das Sprachrohr der Familie, und wenn ich Informationen über meine Eltern haben möchte, dann bin ich bei ihr an der richtigen Adresse.

Und dann gibt es noch mich: Vor fünf Jahren zog ich wegen eines Jobs nach Berlin. Seither wechsle ich zwischen diesen beiden Städten hin und her. In Berlin tue und lasse ich, was ich will, und wenn ich nach Duisburg komme, halte ich am Ortseingang kurz an und tausche meinen kurzen Rock gegen einen knielangen. So viel Zugeständnis an die türkische Tradition gestatte ich mir inzwischen. Schließlich bin ich in Duisburg bei meinen Eltern zu Gast.

Nur einmal haben mich meine Eltern in meinem Berliner Leben besucht. Wenn ich ehrlich bin, kamen sie hauptsächlich, um auf die Hochzeit eines entfernten Cousins zu gehen. Niemals wären sie auf die Idee gekommen, die 539 Kilometer zurückzulegen, nur um ihre Tochter zu sehen.

Kaum in meiner Wohnung angekommen, öffnete meine Mutter an jenem Nachmittag den Kühlschrank und verzog entsetzt das Gesicht. Dort standen fünf Dosen Cola-Light, zwei Flaschen Prosecco und eine Dose Gesichtscreme.

Gut, da lagen auch ein paar Müsliriegel, Vollkornbrotscheiben und eine Dose Tomaten, aber die war schon seit einem halben Jahr abgelaufen. Sofort wollte meine Mutter den Weg zum nächsten türkischen Supermarkt wissen. Ich antwortete stolz, dass ich in einem türkischen Restaurant einen Tisch bestellt hätte und dass wir dort gut essen würden. »Besser als ich können die auch nicht kochen«, wischte sie meinen Vorschlag beiseite und zog meinen Vater energisch Richtung Haustür.

Drei Stunden später kamen die beiden mit einem voll beladenen Mercedes aus Kreuzberg zurück. Sie hatten eingekauft: Tomaten, Gurken, Paprikaschoten, Apfelsinen, Trauben, Wassermelonen, Fleisch, Käse, Joghurt. Knoblauchknollen im Zehnerpack, einen Fünf-Kilo-Sack Zwiebeln und ein Wagenrad von Brot. Dosen mit Tomatenmark, Bohnen und Okraschoten, Reis, Honig, Weizengrütze und ein paar Töpfe und Pfannen aus einem türkischen Import-Exportladen. Sage und schreibe zehn prall gefüllte Tüten schleppten wir in meine

Wohnung. Dabei wollten meine Eltern nur übers Wochenende bleiben.

»Kein Wunder, dass du so krank aussiehst, wenn du nichts isst«, sagte meine Mutter, während sie vergeblich versuchte, den Backofen anzufeuern. Seit ich in der Wohnung bin, ist er schon defekt, und ich kam noch nie auf die Idee, ihn für etwas anderes zu benutzen wie als Stauraum für Zeitschriften.

Meine Mutter kochte drei Stunden lang, und jeden Gang, den sie zubereitete, würzte sie mit einem Kommentar: »Du willst die Welt erobern und besitzt nicht mal einen Schöpflöffel«, pfefferte sie mir entgegen. Nach dem Hauptgericht rief sie ins Wohnzimmer, wo ich mit meinem Vater »tavla«, das türkische Backgammon, spielte: »Was habe ich falsch gemacht, wofür werde ich nur bestraft?«, und verlangte sofort zu erfahren, wo die Topflappen sind. »Oh, die habe ich verliehen«, rief ich zurück.

Meiner Mutter erscheint mein Leben bedauernswert und traurig. Weil es sich nicht lohne, für eine Person zu kochen, müsse ich essen gehen. Sie empfindet essen gehen als Bestrafung, und Restaurants seien für Menschen, die keine Familien hätten. Ich dagegen finde mein Leben gar nicht erbärmlich und halte Restaurants, Imbissbuden und den Pizzaservice für geniale Erfindungen. Es gibt Wörter, die meine Mutter unweigerlich mit einem zweiten Wort verknüpft und die untrennbar zusammengehören: Frauen und Küche, Töchter und Heirat sowie Essen und Familie. Als sie mit dem Kochen fertig war, kam sie ins Wohnzimmer, schaute mich vorwurfsvoll an und fragte: »Gibt es in diesem Haushalt auch Topfuntersetzer?« Nein, natürlich gab es die nicht, wieso auch, ich habe nur einen einzigen Topf, und der steht originalverpackt im Schrank.

Zu dritt saßen wir an meinem Tisch und aßen. Ich überlegte, ob dies nicht der richtige Zeitpunkt wäre, meiner Mutter zu sagen, dass ich zwar ein anderes Leben führe als ihre übrigen Kinder, aber trotzdem glücklich sei. Als ich gerade anfangen wollte, unterbrach sie mich und bemerkte schroff: »Du schreibst für alle Zeitungen dieser Welt, aber besitzt nicht mal drei passende Teller.« Ich beschloss, dass es kein guter Moment war, über meinen Großstadt-Singlehaushalt zu sprechen, murmelte, wie wunderbar das Essen schmecke, und träumte davon, wieder allein in meiner Wohnung zu sein.

Nachdem sie schon lange abgereist waren, zehrte ich noch immer von den Vorräten meiner Mutter, denn sie hatte große Teile davon eingefroren. Ich habe nämlich immerhin ein Gefrierfach, auch wenn es noch nie etwas anderes beherbergt hatte als Eiswürfel für den Prosecco und eine Maske gegen geschwollene Augen. Monate später entsorgte ich die Reste von Zwiebeln, Kartoffeln und Knoblauch, weil sie wild gekeimt hatten. Ein Jahr habe ich gebraucht, um alle Spuren zu beseitigen. Und meinen Kühlschrank wieder mit Cola-Light und Gesichtscreme zu füllen.

3 Das Schweigen der Lämmer

Es gibt zwei lebensnotwendige Dinge für Türken: essen und reden, in dieser Reihenfolge. Eine glückliche Familie ist diejenige, deren Feuerstelle zu jeder Zeit raucht, und wünscht man jemandem etwas Böses, verflucht man seinen Ofen: »Möge das Feuer eures Ofens verlöschen« oder »Möge anstelle eures Ofens ein Feigenbaum wachsen«.

Die Küche war schon immer die Lebensader unseres Hauses und meine Mutter das Herz der Küche. Sie kommt morgens in die Küche, setzt Teewasser auf und stöhnt: »Ach, was koche ich heute nur?« Sie steht am Herd, brät, bäckt oder dünstet. Nachts setzt sie Joghurt und Käse an, danach den Teig für Börek und Brot, und tagsüber schneidet sie Gemüse und köpft Hühner. Wenn wir Besuch von Verwandten bekommen, ist unser Haus voll. Türken kommen nicht zu Besuch, sie belagern das ganze Haus. Was für Deutsche ein perfekt durchgeplantes Fünf-Gänge-Menü für vier Personen ist, bedeutet für Türken, unangekündigt mit der ganzen Sippe vor der Tür zu stehen. Und kommt der Besuch noch so unangemeldet, meine Mutter zaubert trotzdem mindestens zehn verschiedene Gerichte in einer Stunde. Türken leben, um zu essen.

Vor ein paar Wochen rief ich meine Mutter an, um ihr zu sagen, dass ich nach Duisburg käme. Bevor ich meinen Besuch ankündigte, sah ich im islamischen Kalender nach, ob an diesem Samstag irgendetwas anstand, das meine Mutter zum Anlass für ein großes Festessen nehmen könnte. Es war zum Glück ein ganz normaler Samstag, und ich war mir auch sicher, dass sie meine Bitte, diesmal nicht so viel zu kochen, respektieren würde. Als ich zu Hause ankam, begrüßte sie mich mit den Worten: »Schön, dass du da bist! Deine Geschwister, Neffen und Nichten kommen auch gleich.« Wie nett, dachte ich arglos, dass der Rest der Familie auch vorbeischaut.

»Super, das hast du toll hingekriegt«, fauchte Ablam, meine große Schwester, mich zur Begrüßung an. »Kannst du nicht kommen, *ohne* dich vorher anzumelden?«

»Was ist denn passiert?«, fragte ich.

»Mutter hat deinen Besuch zum Anlass genommen, alle fünfundzwanzig Töpfe, die sie besitzt, auf einmal durch die Küche zu wirbeln, und macht uns seit Stunden verrückt.«

Ich muss jedoch zu meiner Verteidigung anführen, dass es nicht nur die Freude über meinen Besuch war, die meine Mutter zu ihrer Kochorgie bewegt hatte. Seit dem Auszug von uns Kindern vermisst sie es, am Herd zu stehen und ihre Künste unter Beweis zu stellen. Seither ist ihr jeder Anlass recht. Und diesmal war es eben mein Besuch.

Unser Abendessen begann mit »gelin çorbası«, der türkischen Hochzeitssuppe. Die dampfende Suppe stand noch auf dem Herd, aber ich spürte bereits, wie sie mir heiß, cremig und würzig die Kehle herunterlief. Ich hatte mir eigentlich vorgenommen, mich zumindest am Anfang ein wenig zurückzuhalten, doch mein Appetit wurde vom Duft der Suppe, der das ganze Haus durchzog, immer größer. Es gibt ein türkisches Sprichwort, das besagt: »Der Weg ins Herz führt über die Kehle.« Das trifft bei keinem Gericht mehr zu als bei der türkischen Hochzeitssuppe. Schon beim ersten Löffel muss ich die Augen schließen, um den herben und zugleich weichen Geschmack vollends zu genießen. Kann ein leidenschaftlicher Kuss schöner sein als diese himmlische Suppe? Eine Suppe, in der die Seele versinkt wie im samtumkleideten Lager eines persischen Harems. Das Lammfleisch ist so weich und zart, dass es auf der Zunge zerschmilzt. Der süßlich scharfe Duft von Zwiebeln und Butter benebelt meine Sinne. Die Suppe ist schwer und üppig wie eine anatolische Braut. Sie wird abgerundet mit Mehl, Eiern und Milch.

Nach fünf Löffeln war mir wohlig warm, und als wir die Teller geleert hatten, glühten unsere Gesichter. Mir fiel die deutsche Hochzeitssuppe aus Brühe mit Gemüseeinlage und Eierstich ein, die ich einmal gegessen hatte. Kein Wunder, dass es in Deutschland so viele Scheidungen gibt, wenn schon die Hochzeitssuppe so fad ist.

Nach der Suppe servierte meine Mutter »meze«, die Vorspeisen. Sie fallen häufig so üppig aus, dass ein Mitteleuropäer danach denkt, das Essen sei bereits beendet. Wir aßen »Frauenschenkel«, kleine Fleischklöpse, die den Namen ihrer langgezogenen Form verdanken. Viele Gerichte sind nach dem weiblichen Körper benannt, beispielsweise »Damennabel« oder »Lippen der Schönen«. Andere Speisen tragen geheimnisvolle Namen wie »gewundener Turban« oder »Nachtigallennest«.

Danach aßen wir »turşu«, in Salz, Knoblauch und Essig eingelegtes Gemüse, und ein Gericht, das den Namen »Imam bayıldı« (Der Iman wurde ohnmächtig) trägt. Es ist ein Auberginengericht, bei dem die Aubergine so geschält wird, dass ein Streifenmuster entsteht. Sie wird aufgeschnitten, mit einer Mischung aus Tomaten, Zwiebeln, Knoblauch und Peperoni gefüllt und in einem viertel Liter Öl gegart. Der Legende nach hat dieses Gericht einem Imam so gut geschmeckt, dass er davon aß, bis er ohnmächtig wurde.

26

Mein Vater hat seine eigene Version der Geschichte: Die junge Frau eines alten Imams hatte zwölf Krüge Olivenöl als Mitgift erhalten. Schon kurz nach der Hochzeit war kein Tropfen mehr davon übrig. Als der Imam hörte, dass seine Frau das gesamte Öl für die Zubereitung der Auberginen verbraucht hatte, sank er bewusstlos zu Boden. Ehrlich gesagt, glaube ich auch an diese Version, denn nimmt man ein Stück Aubergine in den Mund und zerdrückt es mit der Zunge leicht am Gaumen, tropft feinstes Olivenöl aus der Aubergine und läuft die Kehle hinunter. Die goldbraun gebratene, mit Tomaten und Zwiebel gefüllte Frucht löst sich auf der Zunge in pure Lust auf.

Der Gefrierschrank meiner Mutter steht im Keller. Mit gutem Grund. Er ist nämlich so groß, dass er nicht mehr in unsere Küche gepasst hätte. Er hat sieben große Schubfächer und wird flankiert von zwei weiteren kleinen Kühlschränken. Man weiß ja nie, ob nicht vielleicht doch unser anatolisches Dorf unangemeldet vorbeischaut. Unsere Speisekammer ist größer als das Wohnzimmer, und dennoch sind im ganzen Haus noch mehr Vorräte verteilt. Meine Mutter verwahrt zum Beispiel in ihrem Kleiderschrank dreißig Tafeln Milka Nuss-Schokolade, zehn Familienpackungen Tempo Taschentücher, fünf Packungen Zewa-Küchenrollen und einen Sack Sonnenblumenkerne. Wenn meine Eltern zum Aldi oder Real fahren, decken sie sich mit so vielen Vorräten ein, dass sie einen Lebensmittelladen, ein Kurzwarengeschäft und einen Drogeriemarkt damit beliefern könnten. Ich habe bis heute nicht verstanden, warum sie von allem, was sie kaufen, gleich drei Packungen nehmen müssen. Sie besitzen Berge von Servietten, Toilettenpapier, Seife, Zahnpasta und Rasierklingen. Tomatenmark, Brechbohnen und Okraschoten werden grundsätzlich nur dutzendweise erworben. Unser Vorratsschrank ist voll mit haltbarer Milch,

Kaffee, Weizenmehl und Zucker. Die Getränke bewahrt meine Mutter unter ihrem Bett auf. Dort stapeln sich kistenweise Fanta-Dosen und Tetrapacks mit Eistee und Orangensaft. Obst, das meine Mutter nie unter drei Kilo pro Sorte kaufen würde, weil es sich sonst ja gar nicht lohnt, verteilt sie auf die vier Schubladen der Einbauküche, die eigentlich für Besteck, Töpfe und Schüsseln vorgesehen sind. Die wiederum stapeln sich *auf* den Einbauschränken bis zur Decke.

Wenn meine Mutter in der Türkei ist, läuft sie tagelang über Märkte, um Vorräte zu kaufen, die es ihrer Meinung nach in Deutschland nicht gibt. Das stimmt zwar nicht, weil es mittlerweile in jeder mittelgroßen deutschen Stadt an allen Ecken türkische Geschäfte gibt, aber sie lässt sich nicht beirren. Eigentlich liebe ich es, über die Märkte in der Türkei zu gehen und einfach nur zu schauen und zu riechen, doch meine Mutter kann mir dieses Vergnügen regelrecht verderben. Schon nach einer viertel Stunde drückt sie mir vier Einkaufstüten in die Hand. Nach weiteren zehn Minuten schleppe ich in jeder Hand mindestens acht Säcke mit Orangen, Gewürzen und Fleisch, und wenn eine weitere halbe Stunde vergangen ist, trage ich neben etlichen Taschen auf den Schultern einen Knoblauchkranz um den Hals und versuche mich möglichst geschickt anzustellen bei dem Versuch, eine Wassermelone auf dem Kopf zu balancieren.

An jenem Abend nahmen die Vorspeisen kein Ende. Nach dem eingelegten Gemüse und den Auberginen servierte uns meine Mutter »mücver« (Zucchinipuffer), »şakşuka« (Gemüseragout) und Blätterteigröllchen.

Ich liebe türkische Vorspeisen, weil sie so herrlich unschuldig aussehen. Oft sind sie vegetarisch, weshalb viele Deutsche glauben, dass in der türkischen Küche Gemüse die Hauptrolle spielt. Das Gegenteil ist der Fall. Ich muss mir nur die Kopfschmerzen vergegenwärtigen, die ich als Kind vom vielen Fleischessen bekam. Mein Pech war, dass ich schlechte Augen habe und mir der Augenarzt eine Brille verschrieben hatte. Mein Vater war der festen Überzeugung, dass die Brille bald nicht mehr nötig sei, wenn ich nur genügend Fleisch äße. Er nimmt Gemüse überhaupt nicht zur Kenntnis und sagt zu jeder passenden Gelegenheit: »Ein Tisch, auf dem kein Fleisch steht, ist es nicht wert, dass an ihm Platz genommen wird.«

Mitte zwanzig hatte ich kurzzeitig eine fleischlose Phase. Ich lebte acht Wochen lang vegetarisch. Ich tat es eigentlich nicht aus Überzeugung, sondern eher deshalb, weil der Mann, mit dem ich zu dieser Zeit ausging, Vegetarier war. Ich fand ihn wirklich sehr nett. Unangenehm war nur, wie er mir bei unserem ersten Date erzählte, wie qualvoll Tiere sterben müssten. Ehrlich gesagt, verstand ich erst gar nicht, was er meinte. Vielmehr gab ich lachend die Geschichte vom Propheten Ibrahim wieder, die uns mein Vater gerne vor dem Einschlafen erzählte: »Eines Tages kam ein Engel zu Ibrahim und befahl, seinen Sohn Ismail zu töten. Ibrahim war sehr traurig über diese Prüfung Allahs, denn er liebte seinen Sohn sehr. Dennoch wollte er Allah gehorchen. Aber das Messer wurde stumpf und schnitt nicht, als er es am Hals seines Sohnes entlangführte. Eine Stimme sprach zu ihm: ›Töte deinen Sohn nicht‹, und zwei Widder kamen kämpfend vom Himmel herab. Ibrahim hatte die Probe bestanden. Gemeinsam mit seinem Sohn opferte er die beiden Tiere, und sie teilten das Fleisch mit Freunden und Bedürftigen.«

Statt sich mit mir zu freuen, schaute der Vegetarier-Mann nur angeekelt auf den Teller, der mir gerade gebracht worden war und auf dem ein zweihundertfünfzig Gramm schweres

Filetsteak von einem argentinischen Rind lag, aus dessen krustigbrauner Oberfläche frisches Blut sickerte. Nach einem Moment des Entsetzens ergriff er meine Hand und beteuerte mir, halb unter Tränen, wie sehr er mich ob meiner Verblendung bedauere. Er versicherte mir so lange mit Nachdruck, dass ich Tierquälerei unterstützen würde, bis mir der Appetit vergangen war und ich das Traum-Steak, das man fast mit einem Löffel hätte essen können, nicht mehr anrühren wollte.

Um mir weitere Situationen dieser Art zu ersparen, beschloss ich, ebenfalls auf Fleisch zu verzichten. Es fiel mir auch nicht allzu schwer, mich vegetarisch zu ernähren, weil ich sowieso keine Gelegenheit hatte, an den Fleischorgien meiner Familie teilzunehmen.

Nur ein einziges Mal besuchte ich sie während dieser Zeit. Mein Vater stand bereits im Garten und zündete den Grill an. Vorsichtig begann ich ein Vatergespräch mit ihm: »Zu viel Fleisch soll gar nicht so gesund sein.«

»Dann iss halt nicht zu viel.«

»Außerdem soll es gar nicht schlecht sein, eine Zeit lang ganz auf Fleisch zu verzichten.«

»Wer sagt das, Koala-Bären?«

Plötzlich kam es mir lächerlich vor, meinem Vater zu beichten, dass ich kein Fleisch mehr essen wollte. Es passiert mir ständig, dass ich mir in der einen Welt Dinge vornehme, die ich in meiner Parallelwelt aber nicht umsetzen kann, weil sie in dieser Umgebung plötzlich absurd sind. Es ist, als würde ich meinem Vater vor seinem Grill ein Stück Schwarzwälder Kirschtorte und Kaffee im Kännchen anbieten. Also schwieg ich erst einmal und wartete ab, ob sich bei Tisch eine Gelegenheit ergeben würde.

Kaum saßen wir alle zusammen, warf mein Vater schon jedem ein Lammrippchen auf den Teller. Ich schob das Fleisch zur Seite und füllte den Teller mit Salat. Während ich versuchte, das Rippchen unter dem Salat zu verstecken, war der Rest meiner Familie damit beschäftigt, mit den Zähnen das Fleisch vom Knochen zu reißen. Mein Vater schaute mich an und warf mir ein weiteres Stück Lammfleisch auf den Teller. Ich nahm mir noch mehr Salat, versteckte auch das zweite Stück Fleisch darunter und sagte: »Puh, jetzt bin ich aber satt.« Mein Vater antwortete: »Was, von dem bisschen?«, und warf mir noch ein Stück rüber. »Ich will kein Fleisch mehr essen«, rief ich ihm zu.

»Wenn du satt bist, packt es dir deine Mutter für später ein.«

»Ich werde nie wieder Fleisch essen, ich bin Vegetarierin«, schrie ich verzweifelt.

Alle schwiegen und starrten mich an. Mein Bruder war der Erste, der laut loslachte, dann prusteten auch die anderen los. Ich musste resignieren. Vielleicht habe ich zu schnell aufgegeben, aber so ist es nicht: Ich hatte einfach keine Wahl. »Ich bin Vegetarierin« klingt für meinen Vater etwa so lächerlich wie »Ich bin Deutsche«.

So ging mein Vegetarier-Leben unter allseitigem Spott unsanft zu Ende. Noch heute lacht sich mein Vater halbtot, wenn er an jenen Tag denkt. Und wenn sich alle von ihrem Lachanfall erholt haben, ruft mein Vater vom Grill aus: »Kein Fleisch für Hatice, sie ist Vegetarierin!«

Sowie es draußen zwei Grad über null hat, stellt mein Vater seinen Grill im Garten auf. Dass er sich warm einpacken muss und die Nachbarn sich hinter ihren Gardinen über ihn lustig machen, ist ihm egal. Wenn ich ihn darauf aufmerksam mache, dass er doch besser den Elektrogrill benutzen soll und dass der Wetterbericht gerade Schnee angekündigt hat, fächert er noch heftiger mit einer alten »Hürriyet«-Zeitung und erzeugt dabei so viel Qualm wie ein Diesellastwagen im Istanbuler Straßenverkehr.

Vergangenen Herbst schenkte ich ihm einen teuren Elektrogrill, damit er zumindest in den Wintermonaten das Grillen nach drinnen verlagert. Genützt hat es nichts, das Gerät steht seither ungebraucht in der Küche. Er zieht es vor, seinen geliebten tragbaren Holzkohle-Klappgrill zu verwenden, der drei Beine hat, die man vor dem Aufstellen an die Feuerschale schrauben muss. Der Grill ist jetzt fünf Jahre alt, und sobald er durchgerostet umfällt, kauft sich mein Vater für fünfzehn Euro einen neuen.

Als mein Vater vor dreißig Jahren die ersten Rauchschwaden durch seinen Garten in Duisburg wehen ließ, schauten die Nachbarn noch misstrauisch über den Zaun. »Nix Angst, ich grill«, rief er zu ihnen hinüber. Aber irgendwie beunruhigte sie das erst recht, denn es klang gefährlich.

Damals war ich stolz auf den Grillwahn meines Vaters. Ich fand es sehr archaisch und ursprünglich, wie er bei jedem Wetter, zu jeder Jahreszeit in den Garten zog, weil er gerade mal wieder Lust auf gegrillte Fleischlappen hatte.

Bevor ich ihm den Elektrogrill schenkte, brachte ich schon einmal einen Grill mit. Es gab ihn im Rahmen einer Sonderaktion bei Esso zu kaufen. Er war hüfthoch, hatte eine verschließbare Klappe, und sein Chromstandfuß glänzte in der Sonne. Sie nannten ihn »Teutonen-Grill«, und er kostete 99,90 Mark. Ich weiß nicht, was mit ihm nicht stimmte, monatelang rostete er im Regen vor sich hin, und mein Vater stellte weiterhin seinen alten Klappgrill auf. Später erfuhr ich, dass er den Namen nicht mochte. »Oh, Entschuldigung«, sagte ich schnippisch, »einen Osmanen-Grill hatten sie leider nicht.«

Wir hatten unsere Vorspeisen noch nicht ganz aufgegessen, als meine Mutter schon mit drei verschiedenen Kebabs hereinkam. Kebab bedeutet einfach nur »Gebratenes« oder »Geröstetes.« Und setzt man Döner davor, heißt es »das sich Drehende«. Wir aßen Şiş Kebab, Lammspießchen, die meine Mutter frisch in Olivenöl gebraten hatte. Zwischen das zarte Fleisch hatte sie Tomaten- und Paprikastücke gesteckt. Es roch herrlich nach Thymian, als sie mit der Schale ins Wohnzimmer kam. Mein Vater nahm sie ihr ab und sagte: »Ach, endlich Fleisch, nun bin ich im Paradies.«

Kann es sein, dass gerade beim Grillen männliche Urinstinkte geweckt werden, egal, ob es ein Türke oder Deutscher tut? Oder wie erklärt es sich, dass Vertreter des weiblichen Geschlechts so selten im Schweiße ihres Angesichts mit einer Flasche Bier in der Hand am Rost stehen und Fleischlappen wenden? Immer sind es die männlichsten Männer, die am offenen Feuer stehen, und für Frauen oder Flanellhosenträger ihre Hühnerbrust grillen.

Dabei ist es noch gar nicht so lange her, dass die Deutschen die Nase über die türkischen Gastarbeiter rümpften, die mit ihren Familien im Sommer die Parks belagerten und mit einer Gelassenheit grillten, als befänden sie sich an einer offenen Feuerstelle im anatolischen Hinterland. Lange hat es nicht gedauert, bis auch deutsche Arbeiter und Akademiker sich vor ihren Gartenlauben versammelten und einen Grill aufstellten. Plötzlich tauschten ihre Frauen Marinaderezepte aus, und Klassenunterschiede konnte man nur noch daran erkennen, ob das Fleisch beim Metzger des Vertrauens oder im Supermarkt gekauft worden war.

Der Berliner Tiergarten, um genau zu sein, die Wiese gegenüber dem »Haus der Kulturen«, die nur ein paar hundert Meter vom Sitz des Bundespräsidenten entfernt ist, verwandelt sich an den Sommerwochenenden regelmäßig in ein Stück Anatolien. Türkische Großfamilien scharen sich um verschiedene Feuer und rösten ganze Säugetiere. Liebevoll wird dieser Ort »Türkenwiese« genannt – von Deutschen und von Türken. Ich mag dieses Stück Heimat, denn hier herrscht Anarchie. Wagenkolonnen voller Türken fahren vor, im Kofferraum und auf dem Dachgepäckträger transportieren sie komplette Wohnungseinrichtungen. Tische, Stühle, Sessel, Sonnenblenden und natürlich den Grill. Einmal stand sogar ein 3er-Sofa auf der Wiese, auf dem die Oma der Familie schlummerte und der Opa neben ihr an seiner Wasserpfeife sog. Ähnlich muss es im Lager der Türken vor den Toren Wiens ausgesehen haben.

Die »Türkenwiese« wurde sogar schon zum Anlass für eine politische Demonstration. Damals versuchten CDU-Abgeordnete wenige Monate vor der Wahl, grillende Türken aus dem Tiergarten zu vertreiben. Die Grünen solidarisierten sich mit den Türken und stellten sich mit Bio-Würstchen vor den Reichstag. Grillen trage zur Völkerverständigung bei, war ihre Parole.

Auch Ex-Bundespräsident Johannes Rau soll einmal versucht haben, ein Grillverbot für die »Türkenwiese« durchzusetzen, weil die Rauchschwaden ins nahe gelegene Schloss Bellevue zögen. Bußgelder sollten verhängt werden. Gebracht hat es zum Glück nichts, Hunderte von Türken belagerten weiterhin das Gelände. Offiziell ist das Grillen zwar nur noch auf der Fläche zwischen der Straße des 17. Juni und der John-Foster-Dulles-Allee erlaubt. Aber daran hält sich trotz Kontrolltrupps niemand. Die benachbarten Wiesen werden einfach mit eingenommen. So leicht wird man die Grillwütigen nicht los. Wie hat man eigentlich einst die Türken vor Wien verjagt?

Ich muss zugeben, dass die Müllberge, die unfein entsorgten Plastikstühle und die schwarzen Brandkuhlen, über denen Hammel oder Lamm gebraten wurden und die regelmäßig im Park zurückbleiben, kein schöner Anblick sind. Ich ärgere mich jedes Mal darüber, wenn ich im Tiergarten Slalom joggen muss. Dann schäme ich mich für meine Landsleute und verfluche sie. Sobald ich aber das wohl gewürzte Fleisch rieche, dessen Duft an lauen Sommerabenden durch den Tiergarten weht, bin ich sehr schnell wieder Türkin. Dann schlagen meine türkischen Wurzeln wieder aus. Es ist eben sehr schwer, deutsch zu bleiben, wenn es um gegrilltes Fleisch geht. Ich profitiere lieber von den Highlights beider Kulturen.

So halte ich es auch mit dem Verzehr von Schweinefleisch. Ich kenne keinen einzigen Türken, der auf die Idee käme, Schweinefleisch zu essen. Ich würde mir die Freiheit nehmen, es zu tun, doch es schmeckt mir einfach nicht. Vor Jahren habe ich bei der Familie einer Freundin einen Schweinebraten probiert. Danach bekam ich Herpes. Einmal probierte ich grobe Leberwurst, und mir wurde schlecht. Für mich hat Schweinefleisch ein bisschen was von türkischen Männern: Man kann, muss aber nicht. Schließlich gibt's zartere Pute, knusprigere Ente, deftigeres Lamm und saftigere Steaks.

Mein Lieblings-Kebab kam auf den Tisch, als ich schon satt war. Doch niemals würde ich es übers Herz bringen, Adana Kebab mit Joghurt stehen zu lassen. Meine Mutter würzt das Lammhack, das sie zu länglichen Würstchen formt und auf Spießen grillt, mit Sumak. Dieses weinrote Gewürz wird aus den getrockneten Beeren des Essigbaums gewonnen. In meiner Vorstellung riecht das Paradies nach diesem Gewürz. Wenn das Fleisch fertig ist, wird es mit gegrillten Tomaten und Paprika auf einer leichten Joghurtsoße und gerösteten Brotwürfeln angerichtet. Zum Schluss wird alles mit frischen Minzblättern garniert.

Seit ein paar Jahren lässt der Grillwahn meines Vaters leicht nach. Nicht etwa, dass er weniger Fleisch äße, ganz im Gegenteil: Er ist der festen Überzeugung, dass ältere Männer noch mehr Fleisch essen müssen, damit sie länger leben. Nein, es ist nicht die Fleischeslust meines Vaters, die nachlässt, sondern sein Enthusiasmus, den Grill aufzustellen und zu befeuern. Doch er weiß sich zu helfen. Er verlagert das Grillen einfach in den Garten von Ablam.

Zuerst waren es ganz harmlose Besuche. »Ich habe euch frisches Fleisch mitgebracht«, sagte er fröhlich. Später stellte er seinen Klappgrill im Garten auf und sagte: »Den schenke ich euch.« Nun setzt er seine Grillorgien bei ihr fort, zuständig für das Anfeuern des Grills ist jedoch mein Schwager. Mein Vater sitzt in einer fünfundzwanzig Jahre alten Hollywood-Schaukel, die Ablam im Keller meiner Eltern gefunden hat, stößt sich sanft mit dem Fuß ab und gibt seine Anweisungen. Ablam teilt er für das Zerkleinern des Fleisches ein und meine zwei Nichten für die Zubereitung des Salats. Das Privileg, Olivenöl, Zitrone und Salz darüber zu gießen, behält er sich vor. »Olivenöl von einem Großzügigen, Salz von einem Geizkragen und Zitrone von einem Verrückten«, sagt er dabei und wirbelt unternehmungslustig mit den Zutaten.

»Öl und Salz sind klar, aber der Verrückte, was ist seine Aufgabe?«, frage ich.

»Er verteilt den Zitronensaft am besten«, antwortet er und presst wild fuchtelnd die Zitrone aus.

Eigentlich will ich nun wirklich nichts mehr essen, aber meine Mutter packt mir eine Portion ihres Lieblingsgerichts auf den

Teller. Tencere Kebab ist eine kräftig gewürzte Kombination aus Lammfleisch, Gemüse und Kartoffeln, die in einem großen Topf zu einem herzhaften Eintopf gekocht wird. Ich bin schon so satt, dass ich weder schmecke, dass das Fleisch aus der leicht durchwachsenen Schulter des Lammes stammte, noch, dass meine Mutter dem Reis, den wir dazu essen, Rosinen, Nüsse und zweihundertfünfzig Gramm Butter beigemischt hat. Ehrlich gesagt schmecke ich gar nichts mehr, sondern kaue nur noch, bis sich alles in meinem Mund zu einem Brei vermischt hatte. Als Kinder haben wir das Essen auch oft zu einem Brei gekaut und wenn meine Mutter gerade in der Küche war, öffneten wir unsere Münder und nuschelten uns zu: »Guck mal, Zugunglück«. Je satter ich bin, desto unappetitlicher sind die Geschichten, die mir dazu einfallen.

Ich bin sehr froh darüber, dass mein Vater nie so archaisch war, seine Nahrung selbst jagen zu wollen. Es reichte ihm meistens, sie über dem offenen Feuer zu grillen. Wenn ich an meine Kindheit denke, wundere ich mich nicht, wie gelassen und selbstverständlich wir mit dem Thema Schlachten umgingen. Erzählten meine Freundinnen in der Schule später von romantischen Besuchen auf dem Bauernhof, konterte ich mit Geschichten von Hühnern, denen meine Mutter den Kopf abgehackt hatte und die dann noch ein paar Runden herumliefen, bevor sie tot umfielen. Da war ich sechs. Kamen meine Schulkameraden aus den Sommerferien zurück und schwärmten von weichem Sandstrand oder Lagerfeuer in den Dünen, erzählte ich von der Kuh, die in unserem anatolischen Dorf an den Beinen zusammengeknotet und von zwanzig Männern festgehalten werden musste, bevor mein Vater dem Tier bei lebendigem Leib mit einem scharfen Schlachtermesser einen großen Schnitt quer über die Halsunterseite verpasste, wo die großen Blutgefäße und Luft- und Speiseröhre entlanglaufen, und sie dann ausbluten ließ. Da war ich zehn.

Stundenlang sickerte das Blut noch in den Boden unseres Vorgartens, und ich schaute fasziniert dabei zu. Als die Kuh endlich tot war, hackten meine vier Tanten und meine Mutter das Tier in zahllose Stücke, um das Fleisch mit Verwandten, Freunden und Armen zu teilen. So feierten wir das Opferfest, das Hochfest der Moslems. Der muslimische Glaube verbietet das Betäuben von Tieren eigentlich nicht. Dass sie in unserem Dorf aber trotzdem ausbluten mussten, hatte ganz praktische Gründe: Es fehlten die technischen Möglichkeiten für eine fachgerechte Betäubung. Ein scharfes Messer aber hatte jeder im Haushalt. Wie zu Urzeiten wurde das Schlachten vollzogen.

In Deutschland feierten wir das Opferfest nicht so blutig. Mein Vater ging zu einem deutschen Bauern, suchte sich ein junges Lamm aus und ließ es nach gesetzlicher Vorschrift betäuben. Dann legte er das Tier Richtung Mekka, sprach das entsprechende Gebet aus dem Koran und schnitt dem Tier die Kehle durch. Alles ganz legal. Er packte das Lamm in den Kofferraum seines Mercedes und fuhr glücklich nach Hause. Fast wie der deutsche Vater, der den Tannenbaum zu Weihnachten selbst fällt und stolz in die Wohnung trägt.

Meine Mutter schleppte das Lamm in den Keller, zerlegte es mit einem Hackebeil und fror das überzählige Fleisch ein. Mein Vater nahm sich gleich ein paar Rippchen, die Leber und die Hoden, warf sie auf den bereits angefeuerten Grill und rief uns eine halbe Stunde später zum Essen.

Inzwischen drohen wir alle zu platzen. »Tok iken yemek yiyen, mezarını dişiyle kazır« (Wer auf satten Magen isst, schaufelt sich sein Grab mit den eigenen Zähnen), rufe ich meiner Mutter auf dem Weg in die Küche hinterher. Aber sie ignoriert mich einfach und lässt es sich nicht nehmen, zum Dessert »hanım göbeği« zu servieren. »Damennabel«, ein klebrig-süßes Gebäck, das aus Zucker, Butter, Öl und Eiern besteht. Es heißt so, weil den Teigbällchen vor dem Frittieren in der Mitte mit dem Finger ein kleiner »Bauchnabel« eingedrückt wird.

Während wir uns gequält bedienen, kommt meine Mutter mit immer neuen Schüsseln aus der Küche und sagt: »Ach, ihr habt ja gar nichts gegessen. Hat es euch nicht geschmeckt?« Sie stellt Honigmelone, Trauben, Äpfel und Birnen auf den Tisch. Wir liegen bereits schräg auf dem Sofa und strecken die Bäuche von uns, da eilt sie ein drittes Mal in Folge herbei und stellt den unvermeidlichen Türkischen Honig auf den Tisch.

Türkischer Honig ist zäh, extrem süß, und je nach Geschmacksrichtung werden Pistazien, Kokosraspeln, Nüsse oder Rosenwasser hinzugefügt. Ein deutscher Mann brachte mir zum ersten Date einmal türkischen Honig mit beziehungsweise das, was er für türkischen Honig hielt. Denn er überreichte mir eine Packung Honig, der noch in der Wabe war. Honig in der Wabe ist zwar auch eine türkische Spezialität, aber eben nicht türkischer Honig. Für die, die ihn selbst zubereiten mögen, hier das Familienrezept meiner Mutter:

Sie rührt ein Kilogramm Zucker, vierhundert Gramm Honig und ein Drittel Liter Wasser mit dem großen Holzlöffel bei starker Hitze so lange zusammen, bis die zähflüssige Masse im Topf beginnt zu kochen. Dann schaltet sie die Temperatur herunter und lässt den Brei unter wiederholtem Rühren sechzig Minuten lang köcheln. Zur Probe gibt sie eine tischtennisball-große Menge in eine Schüssel mit Eiswasser und formt sie mit den Fingern zu einem Ball. Wenn dieses kleine Geschoss elastisch und durchsichtig wird, ist der Brei perfekt. Sie nimmt den Topf vom Herd, schlägt vier Eiweiß steif, gießt die heiße

Zuckermasse dazu und rührt sie weiter, bis sie noch zäher wird. Dann röstet sie hundertsechzig Gramm Nüsse, wahlweise Haselnüsse, Mandeln oder Pistazien, in einer Pfanne an, zerhackt sie und mischt sie darunter. Noch warm wird die herrliche Süßigkeit vom Topfrand gekratzt.

Schließlich pinselt sie eine quadratische Kuchenform mit Öl ein, streicht die ganze Masse darauf und lässt sie über Nacht bei Zimmertemperatur trocknen. Am nächsten Morgen schneidet sie den türkischen Honig mit scharfer Klinge in Quadrate, packt die Stücke in Folie und verwahrt sie in einer gut verschließbaren Dose. Man sollte wirklich nicht wissen wollen, wie viele Kalorien auch nur ein Stück türkischer Honig enthält!

»Süß lass uns essen, süß lass uns reden«, ruft meine Mutter aus der Küche und fügt, wie schon befürchtet, dem türkischen Honig Tee, Mokka, geröstete Pistazien und Sonnenblumenkerne bei. Nun müssen wir meine Mutter loben. Das macht man bei den Türken, indem man folgendes sagt: »Anneciğim çok harika, eline sağlık, tek kuş sütü eksikti.« Übersetzt heißt das: »Liebste Mutter, das war herrlich, Allah beschütze deine Hände, das Einzige, was fehlte, war Vogelmilch.«

Obwohl derlei Gelage, wie sie bei meiner Mutter und allen anderen Türken selbstverständlich sind, mitten in Deutschland stattfinden, bekommen die meisten Deutschen nichts davon mit. Bei türkischem Essen denken die meisten nur an Döner, den »Dreher«, einen Torpedo aus Fleisch, den ein Gastarbeiter vor fünfundzwanzig Jahren eigens für sie erfunden hat. Mein Bruder Mustafa erzählt allerdings eine ganz andere Entstehungsgeschichte: »Ey, weißt du, wie gefunde wurde Döner? Hat man Handgranate geworfe auf Schafherde.«

Ich esse sehr gerne bei meinem Türken um die Ecke. Für Deutsche ist sein Laden eine Dönerbude, für mich ist er mein »kebapcı«. Mesut, der am Grill steht, freut sich jedes Mal, wenn ich bei ihm Dürüm, Lahmacun oder Adana Kebab bestelle und er mir als erster Kundin an diesem Tag keinen »Döner mit alles und schaffe Soße« machen muss.

Wenn die Deutschen wüssten, was genau und wie viele Kalorien in einem einfachen Zwei-Euro-Döner sind, würden sie ganz schnell auf Lahmacun, die türkische Hackfleischpizza, umsteigen. Billig-Döner macht nicht wirklich schöner. Ein kleiner Tipp: Wenn beim Schneiden viel krümelartiges Fleisch abfällt, besteht er zum größten Teil aus undefinierbar zusammengemischtem, fettem Hack, den Fleischabfällen, die man nur dazwischenstopft, weil sie sich nicht zu den guten mageren Lappen verarbeiten ließen, die der eigentliche Bestandteil eines Döners sein sollten. Das gute Dönertier hat maximal zwanzig Prozent Fett, und wenn das Fleisch schon in eine Brottasche gefüllt wird, dann sollte zumindest die Hälfte der Füllung aus Gemüse bestehen.

Für die Zusammenstellung eines hochwertigen Familiendönerspießes geht man laut Mesut folgendermaßen vor: Von zwei Kilogramm Kalb- oder Lammfleisch werden sechshundert Gramm zu Hackfleisch verarbeitet. Die größere Menge Fleisch befreit man von den Sehnen und zerschneidet sie mit einem scharfen Messer in sehr dünne Scheiben. Diese Scheiben oder Lappen werden über Nacht in einer Marinade aus Zwiebelsaft, Pfeffer, Salz und Öl eingelegt.

Am nächsten Tag fädelt man sie dicht aneinander auf einen Spieß, füllt die Zwischenräume mit dem guten, weil wenigen Hackfleisch auf, damit beim rotierenden Braten die Einzelteile zu einem großen Stück zusammenbacken. Bevor man mit dem Grillen anfängt, muss man die herausstehenden Fleischteilchen abschneiden und oben wieder aufreihen. Der Spieß wird mit Zwiebelsaft bestrichen, wie eine Rübe geformt, damit man das Fleisch nachher einfacher herunterschneiden kann, und senkrecht vor dem glühenden Rost angebracht. Nun muss sich das Dönertier langsam drehen.

Döner Kebab serviert man in der Türkei auf einem Teller, niemals im Fladenbrot. Das ist eine Fastenspeise. Sie wird nur in der Fastenzeit gebacken und gegessen. Wenn schon Fleisch im Brot, dann eingewickelt in dünn gebackenem Dürüm, den feinen Hefeteiglappen. Döner wird in der Türkei auch niemals mit Knoblauch gegessen, höchstens mit Joghurtsoße. Und wenn Gemüse, dann gegrillte Tomate und scharfe Peperoni. Wer ist eigentlich auf die Idee gekommen, Rotkohl, Weißkohl, Gurken und Schafskäse auf den Döner zu packen? Und wer hat diese Knoblauch-Soße verbrochen, die zu fünfzig Prozent aus Mayonnaise besteht?

Nicht nur meine Mutter kocht gerne für ihre Gäste, sei es Familie oder seien es Fremde. Türkische Gastfreundschaft wird überall groß geschrieben. In jedem Reiseführer steht, dass man sie auf keinen Fall verschmähen darf. Eine türkische Gastgeberin fährt Speisen auf, dass sich der Tisch biegt. Selbst der ärmste Türke möchte seinen Besuch ehren, egal, ob er aus Deutschland oder aus der Türkei kommt oder ob es die eigenen Kinder sind. Gemästet wird man auf alle Fälle. Türkische Gastfreundschaft verlangt, dass der Gast fast platzt, sonst hat ihm das Essen nicht geschmeckt. Kein Türke würde auf die Idee kommen, Essen abzuwehren, denn das gilt als Beleidigung.

Doch auch für den Gastgeber geht es um die Ehre. Größer noch als die Angst der Türken vor Diätprodukten ist ihre Angst, dass Nachbarn über sie lästern könnten, weil man bei ihnen nicht satt werde. »Wenn ihr nicht esst, dann seht ihr meine Leiche«, sagt meine Mutter oft als letzte Drohung, wenn wir nichts mehr zu uns nehmen wollen. »Du kommst als Fremder und gehst als Freund!« lautet ein anderes türkisches Sprichwort, wenn es um die legendäre Gastfreundschaft geht. Im Übrigen erwarten Türken von Deutschen nicht, dass sie mit allen Einzelheiten der türkischen Kultur vertraut sind. Man kann sich einfach so wie immer benehmen. Keine Sorge, wir lästern erst über unsere Gäste, wenn sie weg sind, und sagen: »Unglaublich, wie viel die gegessen haben, fast hätten wir sie nicht satt bekommen!«

4 *Reise ins Land der Mütter*

Wenn meine Mutter das Bargeld in ihr Unterhemd näht, Marmeladengläser, Hemden, Strümpfe, Schokolade, Nescafé, Shampooflaschen, Nivea-Creme und das Zehn-Teile-Töpfeset eingeladen, wenn mein Vater Koffer, Reisetaschen, den Fernseher und die Federkernmatratze auf den Dachgepäckträger gewuchtet und mit Teppichklebeband und Wäscheleine rutschsicher befestigt hat, ja, wenn die Milupa Baby-Trockenmilchnahrung, Geschenke der Verwandten aus Deutschland für die Verwandten in der Türkei und die Reiseverpflegung für vier Tage verstaut und meine Geschwister und ich im Morgengrauen müde auf den Rücksitz gepackt worden sind, wenn also das innere und äußere Fassungsvermögen des Mercedes-Benz bis auf den letzten Millimeter gefüllt war, dann sind die Sommerferien gekommen. Es ist wieder Zeit für den Familienurlaub in Anatolien.

Das Wort Sommerferien klang für mich nicht nach schulfrei oder Meer. Es klang nach den knochigen Ellbogen meiner Schwestern, die sich in meine Rippen bohrten, den Ohrfeigen meiner Mutter, den schaurigen Bildern von Verkehrsunfällen mit aufgeschlitzten Autos und leblosen Körpern auf der Autobahn und irgendwann, nach endlosen 3500 Kilometern, nach dem Gemurmel der Verwandten in unserem Heimatdorf. Wie fast alle Gastarbeiter-Familien nahmen auch meine Eltern die unwegsame, gefährliche und staubige Fahrt mit dem Auto und allen damit verbundenen Beschwerlichkeiten auf sich. Während meine Freundinnen von der Nordsee und anderen Ferienzielen schwärmten, fragte ich mich nur, ob ich lebend von dieser Reise zurückkommen würde. Am letzten Schultag verabschiedete ich mich oft mit den Worten: »Macht's gut, es war schön mit euch.«

Auf der Todesstraße, wie wir die Strecke von Duisburg bis in unser anatolisches Dorf Akpınar Köyü nannten, kamen Jahr für Jahr zahlreiche Familien ums Leben. Die Fahrer hatten nur ihr Ziel im Sinn, aber auf so einer langen Reise lässt die Konzentration unweigerlich nach. Sie wurden von plötzlichen Hindernissen jäh überrascht. Viele waren zu müde, um schnell genug zu reagieren. All das schreckte meinen Vater nicht ab.

Besser gesagt, er hatte keine andere Wahl. Ein Flug hätte für die Erwachsenen knapp tausend Mark und pro Kind dreihundert Mark gekostet und war für eine sechs- und später achtköpfige Familie wie die unsrige unbezahlbar. Benzin, ADAC-Schutzbrief und der Zoll für den Fernseher kosteten nur fünfhundert Mark plus die hundert Mark, die man in Bulgarien zwangsumtauschen musste. Dazu kamen noch Marlboros, Coca-Cola-Dosen, Feuerzeuge und Kugelschreiber für die Verkehrspolizisten. Das war leichter zu verschmerzen.

Wenn es sich ergab, fuhren wir in einer Karawane mit zwei anderen türkischen Familien, damit man sich gegenseitig vor Überfällen schützen konnte. Unterwegs trafen wir auf Reisende, die erzählten, dass sie nachts auf den menschenleeren Rastplätzen in Jugoslawien und Bulgarien ausgeraubt worden waren. Einmal passierte das sogar beinahe einem Verwandten von uns. Er hatte das Auto von innen verriegelt, aber die Einbrecher versuchten, die Scheibe einzuschlagen. Wachgeworden vom Lärm, ließ er sofort den Motor an und fuhr mit quietschenden Reifen davon.

Waren wir erst in unserem türkischen Dorf angekommen, saßen die Väter bei Wasserpfeife und Tee zusammen und erzählten den Verwandten, wie sie Verbrecher gejagt und die Strecke mühelos bewältigt hatten. Bis dahin war es aber ein langer Weg. Er dauerte vier Tage und drei Nächte lang und führte durch Österreich, Ex-Jugoslawien, Bulgarien und die Türkei.

Bevor mein Vater am Morgen des Aufbruchs in Duisburg den Schlüssel in das Zündschloss steckte, erhob er im Auto seine Arme zum Gebet. Wir taten es auch und hörten ihm zu, wie er mit leiser Stimme die Sure El-Fatiha aus dem Koran sprach:

Bismillâhir-rahmânir-rahîm.
Im Namen Allahs des Barmherzigen, des Erbarmers.
Elhamdu lillâhi Rabbil 'âlemîn.
Lob sei Allah, dem Herrn der Weltenbewohner.
Errahmânir-rahîm.
Dem Barmherzigen, dem Erbarmer.
Mâliki yevmid-din.
Dem Herrn des Gerichtstages.
Îyâke na'budu ve îyâke neste'în.
Dich beten wir an, und dich bitten wir um Hilfe.
Ihdinas-sirâtal-musteqîm.
Führe uns auf den rechten Weg.
Sirâtallezîne en'amte 'aleyhim
Den Weg derer, denen du gnädig bist,
ghayril-magdûbi aleyhim
nicht derer, die deinen Zorn erregt haben,
ve led-dââllîn.
und nicht den Weg derer, die irregehen.

Gemeinsam raunten wir am Ende: »Amin«.

Das Letzte, was wir im Morgengrauen von Duisburg sahen, waren die Hochöfen, die über der Stadt thronten, die hohen Schlote, deren Spitzen in den blutroten Himmel stachen. Gerade erst ging die Sonne auf. Ungefähr auf der Höhe von Köln hatten meine drei Schwestern und ich die bequemste Position auf dem Rücksitz ermittelt. Obwohl bequem ein Euphemismus war, es ging eher darum, das für alle vier kleinste Übel zu finden.

Halb saßen wir, halb lagen wir, die Arme und Beine ineinander verknotet, und damit wir nicht aufeinander kippten, lehnten wir unsere Oberkörper schräg aneinander. Manchmal hockte eine von uns im Fußraum vor dem Beifahrersitz und legte den Kopf auf den Schoß meiner Mutter. Dieser Platz war sehr begehrt, denn er bedeutete nicht nur, dass man näher an den Essensvorräten war, die meine Mutter rationsweise aus dem Kofferraum holte und an uns verteilte, sondern man hatte dort unten vor allem seine Ruhe vor den Schwestern.

Nach der Geburt meines ersten Bruders Mehmet hätten wir eigentlich ein größeres Auto gebraucht: Vater, Mutter und fünf Kinder waren einfach zu viel – selbst für einen Mercedes. Da mein Vater seinen Benz aber niemals gegen ein anderes Auto getauscht hätte, durfte eine von uns nach Istanbul fliegen, wo sie von Verwandten abgeholt und ins Dorf gebracht wurde. Bevor mein Vater das Flugticket kaufen ging, musste geklärt werden, wer fliegen durfte. Dazu nahm mein Vater einen Zollstock und maß unsere Beine. Die Tochter mit den längsten Beinen gewann den Flug.

Im ersten Jahr hatte Ablam die längsten Beine, im Jahr darauf meine jüngere Schwester Fatma, aber Ablam passte sich den neuen Anforderungen schnell an und argumentierte, dass beim Platzsparen nicht die Länge der Beine, sondern die

Breite des Hinterns ausschlaggebend sei. Ich bin in der Pubertät mehr in die Breite gewachsen als in die Höhe, hatte also in dem Wettstreit gute Chancen gegen Ablam, aber mir hätte keine Disproportion der Welt den Flug eingebracht. Egal, wie viel Platz ich einnahm, mein Vater wollte mich im Auto an seiner Seite haben. Ablam war als Kind sehr schüchtern, meine beiden Schwestern waren zu jung. Ich musste während der Reise übersetzen, an den Grenzen Formulare ausfüllen und mit Zollbeamten verhandeln.

An richtigen Schlaf war während der ganzen Fahrt nicht zu denken. Die kindliche Aufregung war längst verflogen und zur Müdigkeit geworden. Ich döste mit schrägem Kopf und geschlossenen Augen vor mich hin, nur Ohren und Nase nahmen die Umgebung wahr. Dröhnende Lastwagen, die mein Vater überholte, surrende Motorräder, die an uns vorbeizogen, der beißende Geruch des Düngers auf den Feldern, die dumpfen, verzerrten Stimmen meiner Familie im Auto und das Rascheln der Tüten, wenn meine Mutter Pidebrot, Tomaten, Schafskäse, Oliven und gebratenes Hühnchen herauskramte.

An einer Raststätte in der Nähe von München machten wir die erste Pause. Mit aschfahlen Gesichtern, müden Augen und einem unangenehmen Geschmack im Mund kletterten wir aus dem Auto. Meine Mutter hatte bereits eine Decke auf der Kühlerhaube ausgebreitet und zündete die Flamme unter dem kleinen Campingkocher an, um Teewasser zu kochen. Wir warteten am Auto auf meinen Vater, der sich für das Gebet wusch. Nach der rituellen Reinigung nahm er seinen Gebetsteppich von der Hutablage, rollte ihn auf einem sauberen Untergrund aus, richtete das Gesicht Richtung Mekka und betete. In Mitteleuropa liegt die Gebetsrichtung etwa auf Süd-Süd-Ost, aber mein Vater brauchte keinen Kompass, um die genaue Richtung zu ermitteln. Einmal habe ich ihn gefragt, wie er das eigentlich so genau bestimmen könne, und er antwortete: »Das weiß ein Moslem.«

Andere Gläubige an der Raststätte wussten es offensichtlich nicht so genau, weil sie tatsächlich einen Kompass zu Hilfe nahmen. Bis heute kommt mein Vater ganz ohne die immer noch moderner werdenden Hilfsmittel zur korrekten Ermittlung der Gebetsrichtung aus. Ein Nachbar meiner Eltern besitzt sogar ein Handy, das mit Hilfe eines Satelliten-Navigationssystems unabhängig vom Sonnenstand oder der entsprechend ausgerichteten Gebetsnische in einer Moschee immer die genaue Richtung nach Mekka bestimmen kann.

Mein Vater hob seine Hände an die Ohren und begann sein Gebet mit der Ankündigung:

Allâhu ekber
Allah ist groß. (Viermal)
Eschhedu el lâ ilâhe illallâh
Ich bezeuge, es gibt keine Gottheit außer Allah. (Zweimal)
Eschedu enne Muhammeder-rasûlullâh
Ich bezeuge, Mohammed ist der Gesandte Allahs. (Zweimal)
Haye 'ales-salâh
Auf zum Gebet! (Zweimal)
Haye 'alel-felâh
Auf zum Heil! (Zweimal)
Allâhu ekber
Allah ist groß. (Zweimal)
Lâ ilâhe illallâh
Es gibt keine Gottheit außer Allah. (Einmal)

Die wichtigsten Suren des Korans brachte mein Vater uns selbst bei. Später lernten wir in der Koranschule, den ganzen

Koran zu lesen. Ich bete schon lange nicht mehr, und den Koran las ich das letzte Mal vor ein paar Jahren in einer deutschen Übersetzung. Doch die Suren, die mich mein Vater lehrte, habe ich nie vergessen, und wenn ich wollte, könnte ich sie jederzeit auswendig aufsagen. Nur manchmal, wenn ich mir etwas sehr wünsche, knie ich mich auf ein Handtuch, verhülle die Haare mit meinem Pashmina-Schal und sage die Sure El-Fatiha auf. Sie ist die eröffnende Sure des Korans und beginnt mit dem Namen Allahs, dessen Barmherzigkeit und Gnade in Kürze beschrieben wird.

Wenn mein Vater sein Gebet geendet hatte, rollte er den Teppich ein und verstaute ihn wieder im Auto. Auf dem ganzen langen Weg in die Türkei hielt mein Vater nur an, um zu übernachten oder wenn es Zeit war zu beten. Normalerweise betet der gläubige Moslem fünf Mal am Tag. Am Morgen, zu Mittag, am Nachmittag, bei Sonnenuntergang und am späten Abend. Für Reisende gibt es jedoch Ausnahmen, die im Koran geregelt sind. Zwar durfte mein Vater während der Reise die fünf vorgeschriebenen Gebete nicht verkürzen, aber sie zu drei Zeiten zusammenlegen. Das bedeutete für uns, dass wir noch seltener Pause machten.

In Österreich hielten wir in kleinen, sauberen Dörfern, kauften Semmeln und tranken Kakao dazu. Die Menschen trugen eigenartige Trachten und redeten ein Deutsch, das ich nicht verstand. Sie waren uns nicht weniger fremd als wir ihnen, aber wir fühlten uns nicht unwohl. An der Fensterscheibe zogen sanfte Hügel, sattgrüne Wiesen und fleckige Kühe vorbei. Wir fuhren von Salzburg über Linz nach Graz. Bei der ersten Übernachtung hatten wir Österreich schon fast hinter uns.

Die wirkliche Fremde begann erst nach der Grenze zu Jugoslawien. Die Grenzüberfahrt markierte den Eintritt in die

Vorhölle. Ab hier aßen wir nur noch die Vorräte, die meine Mutter eingepackt hatte. Es gab natürlich Gaststätten, an denen mein Vater hätte halten können. Aber das Essen war ungenießbar, überteuert, und die Menschen, die um das Auto herumlungerten, wenn wir anhielten, kamen uns unheimlich vor.

Die Landschaft war im Vergleich zu Deutschland und Österreich ausgetrocknet, leer und rau. Nur manchmal glänzten die weißen Spitzen der Berge wunderschön in der Sonne. Oft fuhren wir stundenlang, ohne einen einzigen Baum oder Busch zu sehen. Überall lagen schrottreife Autos und verrostete Lastwagen an den Straßenrändern.

Entlang kurvenreicher Straßen schlängelten wir uns durch die Hitze, nur das Geklapper alter Diesellastwagen, die mein Vater überholte, unterbrach die Eintönigkeit. Unzählige Schilder mit Städtenamen hatten wir bereits hinter uns gelassen, und etliche lagen noch vor uns. Wir schaukelten und wiegten uns von Ljubljana, Zagreb, Split, Belgrad bis Nis über endlose Landstraßen in den Südosten. Manchmal war die Nacht so klar, dass ich Stunden damit verbrachte, die Sterne am Himmel zu zählen. Je länger wir über Land fuhren, desto grauer wurden jedoch die Scheiben unseres Autos. Und wenn wir nach stundenlanger Fahrt auf einem Rastplatz die Autotür öffneten, blies uns ein staubiger Wind in die Gesichter. Die Luft war schwer, aber wir atmeten tief durch.

Wir stiegen aus und streckten unsere Glieder. Essensgerüche hatten sich mit den Ausdünstungen der Kanalisation vermischt. Wir liefen zu den rudimentären Toiletten, der Wind wirbelte den Staub auf, und Steine knirschten unter unseren Füßen. Lange hielten wir uns nie auf in dieser fremden Welt. Schnell wollten wir die karge Landschaft und ihre abweisenden Menschen hinter uns lassen.

Während der Weiterfahrt erinnerte ich mich an den Film »Der Schatz im Silbersee«, den ich einmal im Fernsehen gesehen hatte. Ich wusste, dass Winnetou und Old Shatterhand im Film durch Jugoslawien ritten. Aber das Jugoslawien, das wir aus dem Auto sahen, hatte keine prächtigen Landschaften und Bergkulissen. Wir kamen nicht an blühenden Feldern und plätschernden Bächen vorbei.

Nachts froren wir, obwohl es draußen mild war. Ich hörte den Wind, der durch die Ritzen der Autofenster pfiff, und zählte in Gedanken die Stunden, die wir noch brauchen würden bis zu dem Brunnen mit dem klaren Wasser in unserem Heimatdorf.

Nach der Vorhölle erreichten wir die richtige Hölle – Bulgarien. Wer nicht genügend Marlboros, Schokolade und Coca-Cola dabeihatte, wer nicht genau wusste, wie man die bulgarischen Zöllner unauffällig bestechen konnte, der verbrachte grundlos viele Stunden am Grenzübergang. »komşu« (Nachbar), riefen sie ins Auto, »hast du etwas zu verzollen?« Nicht nur ein »Nein«, sondern noch eine Stange Zigaretten dazu öffneten die Grenze.

Die Strecke durch Bulgarien wäre mein Vater am liebsten durchgefahren. Er hielt nur kurz an, wenn wir ganz dringend auf die Toilette mussten. Sobald er merkte, dass ein Halt unvermeidbar war, wurde er wütend und befahl uns, uns zu beeilen und ohne zu trödeln wieder zurück zum Auto zu kommen. Seine schlechte Stimmung übertrug sich auf uns alle. Wenn wir durch Bulgarien fuhren, war die Atmosphäre im Auto gespannt. Wir sprachen nur das Nötigste, schauten starr aus dem Fenster, es ging durch verwilderte Gebiete und öde Straßen, auf denen kaum Menschen waren. Die meisten Dörfer, durch die wir hindurchkamen, waren eine Mischung aus Geisterstadt und Armenviertel.

Mein Vater hasste auch die Schikanen der bulgarischen Polizisten, die ihn alle hundert Kilometer an den Straßenrand winkten. Er wusste zwar nicht, warum sie das taten, aber er fragte auch nie nach dem Grund. Es hätte die Weiterfahrt sicher erheblich verzögert. Sobald er anhalten musste, zogen meine Schwestern und ich die Decke über den Kopf und stellten uns schlafend. Mein Vater kurbelte das Fenster herunter und gab den Männern ein wenig westliches Lebensgefühl: Zigaretten, Coca-Cola und Feuerzeuge.

Nach zwei Tagen erreichten wir »Kapıkule«, den türkischen Grenzübergang. Kurz vor der Grenze erwachten wir aus unserer Lethargie und rutschten aufgeregt auf unseren Sitzen hin und her. Zwischen der bulgarischen und türkischen Grenze musste man mit dem Auto durch tiefe Pfützen fahren, die die Zöllner angelegt hatten, damit mit den Reifen kein Körnchen bulgarische Erde in die Türkei gelangte.

Über den Grenzhäuschen der türkischen Zöllner hing ein großes Plakat. Auf rotem Hintergrund stand in weißer Schrift »ne mutlu türküm diyene« (Glücklich, der sich Türke nennen darf), und die Buchstaben leuchteten durch den Staub. Die türkischen Grenzbeamten saßen gemütlich in ihren kleinen Häuschen und begrüßten uns freundlich. Als wir mit unserem Auto den Grenzposten passierten, lächelte der Beamte uns an, zählte die Kinder auf dem Rücksitz und sagte erfreut: »Vier Töchter?« Und mein Vater antwortete stolz. Ja, vier schöne Töchter. Wir fuhren vorbei an schreienden Kindern, betenden Männern und lachenden Frauen. Das erste Mal seit Duisburg waren wir wieder hellwach.

Mein Vater hielt an, wir stiegen aus dem Auto, streckten uns und rieben unsere verquollenen Augen. Als wir in Deutschland losfuhren, verließ ich meine Heimat. Aber jetzt nach drei Tagen, spürte ich wieder Vertrautheit um mich herum, und mich überkam erneut ein Gefühl von Heimat, dasselbe, das ich empfand, als wir aus Duisburg aufbrachen.

Der Teil der Türkei, der nun folgte, sah landschaftlich nicht viel anders aus als Bulgarien, aber für uns war es ein Unterschied wie Tag und Nacht. Endlich sahen wir wieder Menschen und konnten das Treiben auf den Straßen beobachten. Die achthundert Kilometer, die wir noch zurückzulegen hatten, erschienen uns endlos, aber wir waren erfüllt von der magischen Gewissheit, dass uns die Heimat wieder hatte. Ein letztes Mal noch mussten wir übernachten, doch jetzt machte sich mein Vater keine Sorgen mehr. Zum Schlafen legte er sich draußen vor das Auto, meine Mutter schlief mit uns im Mercedes. In dieser Nacht war der begehrteste Platz der Fahrersitz, auch wenn man ihn nicht nach hinten klappen konnte, weil sich auf dem Rücksitz immer noch sechs Beine tummelten. Mit dem Wettspiel Stein, Schere Papier entschieden wir, wer diesen Platz bekam. Meist ballte ich die Hand zur Faust, und mein Bruder hielt sie ausgestreckt, oder ich hatte Papier, und eine meiner Schwestern zeigte Schere. Ich verlor, aber das war egal, denn die Nacht war kurz. Morgens um halb vier fuhren wir schon weiter.

Auf den langen Reisen in die Türkei habe ich eine unüberwindbare Abneigung gegen lange Strecken entwickelt, insbesondere wenn ich sie im Auto zurücklegen muss. Ich weigere mich, in einen Wagen zu steigen, mit dem ich länger als sechzig Minuten unterwegs bin, zumal wenn ich hinten sitzen muss. Nach einer halben Stunde werde ich selbst auf dem Beifahrersitz ungeduldig, nach fünfundvierzig Minuten aggressiv, und bei der Ankunft habe ich jeden Mitreisenden mehrmals beleidigt. Ich hasse Fahrten im Auto. Deshalb habe ich auch kein eigenes. Nur ein einziges Mal bin ich mit einem Leihwagen von Berlin nach Duisburg gefahren, aber nur, weil ich meiner Nichte zum sechzehnten Geburtstag eine Fahrt in einem Cabriolet geschenkt hatte.

Dauert eine Fahrt länger als eine Stunde, nehme ich den Zug, dauert die Zugreise länger als zwei Stunden, buche ich einen Flug. Dauert die Strecke vom Flughafen zum Reiseziel länger als eine Stunde, nehme ich den Zug. Würde die Zugfahrt vom Flughafen länger als zwei Stunden bis zum endgültigen Reiseziel dauern, buche ich einen Anschlussflug. Dieses Schema wende ich auch umgekehrt an. Benötige ich mit der S-Bahn oder der U-Bahn weniger als fünfzehn Minuten für eine Strecke, fahre ich mit dem Fahrrad, fahre ich aber weniger als fünf Minuten mit dem Fahrrad, gehe ich zu Fuß. Und wenn ich zu Fuß kürzer als fünf Minuten bräuchte, dann müsste ich nach diesem Muster eigentlich zu Hause bleiben und mich gar nicht bewegen. Aber das kommt dann doch nicht so häufig vor.

Während der langen achthundert Kilometer von der türkischen Grenze bis in unser Heimatdorf Akpınar Köyü fuhren wir an Weizenfeldern vorbei, auf denen junge Frauen arbeiteten und Männer die Traktoren lenkten, wir sahen alte Frauen, die in der Hitze Gemüse verkauften, und Kinder, die unserem Auto winkend hinterherliefen. Kurz vor dem Dorf hielt mein Vater ein letztes Mal. Er hielt immer an derselben Wasserstelle. Hier mussten wir uns waschen und umziehen.

Ich ließ kaltes, klares Wasser über mein verschlafenes Gesicht laufen, tauschte meine geliebte Jeans gegen einen sauberen langen Rock und band mit zwei Knoten unter dem Kinn das Kopftuch zusammen. Meine Gedanken wanderten zurück nach Duisburg, ich dachte an meine Freundinnen, die sicher schon irgendwo am Strand spielten, an meine Wrangler, die ich nun fünf Wochen lang nicht mehr tragen würde, und daran, dass mein anderes Leben weit mehr als 3500 Kilometer von dieser Wasserstelle entfernt war.

Unser Dorf lag ruhig, es war ein Ort zwischen Vertrautheit und Fremdheit, irgendwo zwischen Niemandsland und Heimatland. In den nächsten Wochen würde ich in dem Haus wohnen, in dem ich geboren wurde, in Gesichter schauen, die mir fremd waren, aber denen meiner Eltern ähnelten, mich von Fremden umarmen und küssen lassen und stundenlang in fremden Küchen sitzen, deren Gerüche ich nur allzu gut kannte. Ich würde die nächsten Wochen Heimweh nach Deutschland haben, aber dennoch nicht von hier wegwollen. Ich war mit allem einverstanden, ohne zu wissen, worauf dieses Einverständnis eigentlich beruhte.

Im Dorf spielten wir auf den Weizenfeldern meines Großvaters und trieben seine Schafherde auf die Weide. Manchmal nahm er uns auf dem Pferdewagen nach Çavdarhisar mit, dem nächstgrößeren Ort. Hier fand der Markt statt. Aus der ganzen Umgebung fuhren Bauern mit Traktoren vor und boten bergeweise Kohl, Lauch, Auberginen, Kartoffeln und Tomaten an. Andere verkauften lebende Hühner und Schafe, eimerweise Joghurt, Schafskäse, Oliven, Tomatenmark oder eingelegtes Gemüse. Teejungen schlängelten sich mit silbernen Tabletts durch die schmalen Gassen und erfreuten die Händler mit »çay«, dem süßen türkischen Tee. Pistazien, Haselnüsse, Oliven, Sonnenblumen- und Kürbiskerne standen in Säcken herum, und Männer schaufelten kiloweise Käse und leuchtende Gewürze in die Einkaufstüten. Am Straßenrand standen Männer, die auf klapprigen Holzkarren ofenfrische Sesamkringel und gefüllte Teigtaschen anboten. Oder als schnellen Snack »kokoreç«, gegrillten Rinderdarm.

Der Markt war eine unüberschaubare, fremde Welt voll ungewohnter Gerüche und Geräusche. Die Verkäufer saßen auf dem Boden oder auf wackligen Stühlen und priesen lautstark ihre Waren an. Ich beobachtete sie fasziniert beim Handeln, beim Diskutieren und Abwägen. Keinem von den Männern fiel die Zigarette aus dem Mundwinkel, wenn sie redeten. Andere zogen genüsslich an ihrer Nargile, der Wasserpfeife, oder tranken schwarzen Tee. Auf dem hinteren Teil des Basars liefen fast nur Frauen herum. Sie klapperten mit silbernen Schüsseln, bunten Plastikschalen, griffen nach Teppichen und Stoffen und klemmten sich die Enden ihrer langen Gewänder zwischen ihre Knie, wenn sie sich bückten.

Ich fühlte mich zwar fremd in dieser Welt, aber dennoch faszinierte sie mich. Ich hatte ein eigenartiges Gefühl, denn die Fremdheit, die ich verspürte, befand sich eigentlich nur in meinem Kopf. Die Menschen auf dem Markt merkten nicht, dass ich nicht zu ihnen gehörte, schließlich sah ich mit meiner Kleidung aus wie sie, verstand, was sie sagten. Später bin ich oft verreist und habe viele verschiedene Märkte besucht, aber jedes Mal war es anders. Obwohl ich auch hier in Anatolien fremd war, empfand ich eine große Nähe. Es war nicht meine Welt, aber wir hatten die gleiche Sprache.

Einmal begleitete uns mein Vater nach Çavdarhisar. Auf dem Markt angekommen, sah ich plötzlich, dass er zitterte. Er stand aufrecht, bewegte sich nicht, aber er bebte am ganzen Leib. In unserer Familie galt mein Vater als Held. Er hatte seine Schafherde verkauft, war von dem Geld nach Deutschland gezogen, hatte später seine Familie nachgeholt und war Bergmann geworden, ohne jemals zuvor unter Tage gearbeitet zu haben. Inzwischen lebte er gerne in Deutschland, aber einmal im Jahr trieb ihn die Sehnsucht zurück in die Türkei. Dann fuhr er die 3500 Kilometer mit Frau und Kindern in sein Heimatdorf, ohne dass seine Töchter, seine Familie und nicht einmal der Mercedes auch nur ein einziges Mal einen Kratzer abbekommen hätten. Und plötzlich stand er auf dem Markt in Çavdarhisar und zitterte.

Ich habe ihn oft gefragt, was an jenem Morgen passiert war. Erst Jahre später erzählte er es mir in seinem Auto, als wir auf dem Weg zu meiner Schwester waren und eigentlich ein Gespräch in der Vatersprache über mein Single-Leben anstand.

Bevor er meine Mutter heiratete, liebte mein Vater ein Mädchen mit Namen Hamide. Sie war die Tochter des reichsten Mannes im Dorf und wunderschön. Mein Vater und Hamide waren ein heimliches Liebespaar, denn mein Vater gab keinen standesgemäßen Bewerber ab, mit dem ihr Vater einverstanden gewesen wäre. Hamide sollte einen vermögenden Mann aus dem Nachbardorf heiraten. Mein Vater und seine Geliebte hatten nur eine Chance: Er musste sie mit ihrem Willen entführen. In der Nacht, bevor es passieren sollte, waren sie ein letztes Mal in der Scheune verabredet, um die Flucht zu besprechen.

Doch dann kam alles anders. Hamide erschien, aber sie trug um den Hals und an den Armen das Gold eines anderen Mannes. Sie war nur noch einmal gekommen, um meinem Vater zu sagen, dass sie am Nachmittag versprochen worden war und den anderen heiraten würde. Mein Vater schaute sie entgeistert an, griff dann nach dem Gold an ihrem Hals und warf sie ins Heu. Ein Jahr später heiratete er meine Mutter.

Zwanzig Jahre lang sah er Hamide nicht wieder, bis zu jenem Morgen auf dem Markt in Çavdarhisar. Unvermittelt stand sie vor ihm und sah ihn mit ihren schönen Augen an. Mit einem Mal wurde mein Vater zurückgeworfen in jene Zeit, als sie sich noch liebten. Für einen kurzen Moment war er zutiefst bewegt, doch er fand schnell in die Gegenwart zurück. Er nahm meine Hand und wir liefen weiter, denn für ihn war klar, dass Hamide seine Vergangenheit ist und er jetzt eine andere Familie hat.

Auch wenn wir nicht zum Markt fuhren, verbrachten wir den ganzen Tag im Freien. Das Dorf war klein, hier konnte uns nichts passieren. Wir durften ungestört spielen, so lange wir wollten. Abends hockten wir im Licht einer Petroleumfunzel im alten Lehmhaus meiner Großmutter und lauschten ihren Geschichten aus unserer Familie und dem Dorf. Wie mein Vater als kleiner Junge den Fuß meines Großvaters als Steigbügel benutzte, um auf ein Pferd zu steigen. Und davon, wie mein Großvater durch das Dorf ritt, am Tor seines Rivalen um ein schönes Mädchen anhielt und seinen Widersacher mit einer geladenen Pistole zum Duell aufforderte. Großmutter erzählte mit einer bittersüßen Melodie in der Stimme. Ihre Geschichten handelten von Liebe und Tod, sie waren schön und blutig, traurig und fröhlich. Es waren Erzählungen aus einem Märchenland, und meine Vorfahren waren darin die Helden.

Anadolu (Anatolien) heißt im Türkischen »voll mit Müttern«. Unsere allsommerliche Reise war eine Reise in das Land der Mütter. Das anatolische Dorf macht einen wesentlichen Teil meiner Kindheit aus. Es ist die Heimat meiner Eltern, dort wurde ich geboren, und es nimmt einen unverrückbaren Platz in meinem Herzen ein. Die Reisen in die Türkei haben mein deutsches Wesen verändert, und das Leben in Deutschland hat meine türkische Seite verstärkt. Es dauerte immer ein paar Tage, bis ich mich in der Türkei zurechtfand. Und in Deutschland fiel es mir schwer, das Türkische abzulegen. Noch heute fahre ich häufig in unser anatolisches Dorf und werde das auch in Zukunft tun, aber ich habe immer eine Rückfahrkarte dabei.

Am Tag unserer Abreise, wenn die Ferien zu Ende waren, war das ganze Dorf in heller Aufregung. Die Verwandten packten uns Verpflegung für die Fahrt ein und weinten zum Abschied. Am Ende des Dorfes, dort, wo der Schotterweg zur Landstraße wird, standen sie und winkten uns noch lange hinterher.

Die Rückfahrt nach Duisburg verlief ähnlich wie die Hinfahrt: vertraute Türkei, bedrohliches Bulgarien, unwirtliches Jugoslawien. Doch ab der österreichischen Grenze war schlagartig alles anders. Wir waren zurück in der Zivilisation. Nachdem die Zöllner unser Auto durchgewinkt hatten, hielt mein Vater vor einem Hotel und buchte ein Zimmer. Abends durften wir uns im Restaurant Hähnchen mit Pommes bestellen. Was für ein Fest! Obwohl mein Vater selbst von dem Huhn nichts aß, sah er uns glücklich beim Essen zu. Zurück im sauberen, reichen Mitteleuropa, und er und seine Familie gehörten dazu. In der Nacht schliefen wir alle zusammen im Doppelbett. Niemals wäre mein Vater auf die Idee gekommen, Einzelzimmer für uns zu buchen. Er wollte uns alle bei sich haben. Nie werde ich den Duft der Wiesen vergessen, der durch das Fenster drang, den Tau, der morgens in den Gräsern funkelte. Erst nach dem Frühstück fuhren wir weiter.

Das Erste, was wir von Duisburg sahen, wenn wir uns der Stadt näherten, waren wieder die Hochöfen, die vielen, steilen Türme, der weiße Rauch, der in den Himmel stieg. Die Schlote schienen noch majestätischer über der Stadt zu thronen als bei der Abreise. Ich empfand Wärme und Zuneigung und auch Erleichterung bei diesem Anblick. Wir hatten die Fahrt in unsere andere Welt überlebt. Mein Vater hielt an, ich stieg aus und lief, um Brötchen für das Frühstück zu kaufen.

Die Aufenthalte in unserem Dorf sind in meiner Erinnerung zu einem einzigen wehmütigen Gefühl verschmolzen. Die einzelnen Ereignisse konnte ich meinen Freundinnen in Deutschland immer schnell berichten. Es waren bunte Episoden mit lustigen Pointen, aber nachdem sie erzählt waren, blieb ein leeres Gefühl zurück. Die eigentliche Geschichte war die Reise. Die langen Fahrten und die unterschiedlichen Gefühle, die ich dabei empfand. Bis heute haben sie sich tief in mein Gedächtnis eingegraben. Ich könnte jederzeit wieder in unser Dorf zurückkreisen, wenn ich wollte, aber nie wieder im Mercedes meines Vaters, nie wieder gegängelt von den sorgfältig durchdachten Reisevorbereitungen meiner Mutter, nie wieder mit den knochigen Ellbogen meiner pubertierenden Schwestern in den Rippen und nie wieder verfolgt von den alptraumartigen Ängsten.

Vor ein paar Wochen erzählte mein Vater mir, dass die alte Reiseroute seit dem Krieg in Ex-Jugoslawien nicht mehr oft befahren würde. Es gebe zwar noch die Nordroute, die durch Deutschland, Österreich, Ungarn, Rumänien und Bulgarien in die Türkei führe, und die Südroute über Deutschland, Österreich, Italien und mit der Autofähre von Venedig in die Türkei, aber kaum jemand fahre noch mit dem Auto in die Heimat. Auch die Matratzen und Kühlschränke sind schon lange von den Autodächern verschwunden. Die Packmentalität der Türken hat sich dennoch nicht geändert. Jetzt stehen die mit Teppichklebeband umwickelten Reisetaschen und verschnürten blaukarierten »Türken-Koffer« aus dem Exportladen am Flughafen. Die Kofferkulis stauen sich, auf den Gepäckbergen thronen Kleinkinder in weißen Söckchen. Viele Reisende laufen nervös herum, um schnell noch jemanden zu finden, dem man einen Teil seines eigenen Übergepäcks unterschieben kann. Und wenn Turkish Airlines nach Izmir aufgerufen wird, nach Adana oder Istanbul, dann geht das Gerangel erst richtig los.

Im letzten Sommer flogen meine Eltern in die Türkei und

verbrachten ihren ersten Urlaub in einem Fünf-Sterne-Hotel. Ihr Bild von der Türkei hat sich verändert. Früher fuhren sie in die Heimat, um ihre Eltern zu besuchen, sie kümmerten sich um die Felder oder reparierten ihr Haus. Mein Vater packte die schulpflichtigen Kinder damals immer in seinen Mercedes, fuhr mit ihnen in die nächste Kleinstadt und kleidete sie von Kopf bis Fuß ein. Wer keine Schuluniform hatte, durfte nicht in die Schule gehen.

Inzwischen sind meine Großeltern verstorben, die Felder verkauft, und unser altes Haus ist schon lange nicht mehr bewohnbar. Mein Vater würde es niemals zugeben, aber im Grunde ist sein Heimatland im Laufe der Jahre zu seinem Urlaubsland geworden. Die Tatsache, dass er lange schon in Rente ist und dass er und seine Ehefrau in Deutschland mehrfache Großeltern sind, ändert jedoch nichts daran, dass er seit über dreißig Jahren ankündigt, im nächsten Jahr werde er für immer in die Türkei zurückkehren. Wenn ich ihn darauf aufmerksam mache, dass er das schon erzählt, seit ich denken könne, wird er böse und zischt: »Deine Mutter und ich wissen, wo wir beerdigt werden wollen, unsere Heimat tragen wir hier«, und klopft sich auf sein Herz. Ein türkisches Sprichwort sagt: »Neren ağrırsa canın orda« – Dort, wo es dir wehtut, da ist dein Herz.

5 *Duisburg, ich häng an dir*

Aufgewachsen bin ich in Duisburg. Noch heute empfinde ich heimatliche Gefühle, wenn ich an die Stadt denke. Seit Mai schlägt auch mein Fußballherz wieder für Duisburg, denn die »Zebras« sind nach fünf Jahren zurück in der Bundesliga.

Viele meiner Freunde mögen Duisburg nicht, obwohl sie noch nie dort waren. Wenn ich von Ruhrpott-Romantik schwärme, denken sie an rauchende Schornsteine, stinkende Abgase und schmucklose Reihenhäuser in schmutzigem Einheitsgrau. Kein Wunder: Duisburg ist eine Stadt, die durch Wallraff-Enthüllungen und die düsteren Geschichten in den Schimanski-Tatorten nicht immer in gutem Licht stand. Es ist eine Malocherstadt, die, seit ich denken kann, mit hohen Arbeitslosenzahlen, kriminellen Ausländern und Ghettoisierung von sich reden machte. Stets verwahrlost, verrottet und zugemüllt – wenn es darum ging, eine heruntergekommene Stadt zu zeigen, wurde Duisburg als Kulisse verwendet.

Das Haus, in dem ich aufgewachsen bin, war nicht weit weg von den Tatort-Drehorten, es stand in Duisburg-Marxloh. Als Kinder schauten wir zu, wie die Kameras aufgebaut wurden und Schimanski auf Verfolgungsjagd ging. Es war ein eigenartiges Gefühl, zu wissen, dass die Wohnung des berühmten Kommissars nur ein paar Straßen entfernt lag. Nach der

Schule gingen wir zu »Peter Pomm's Pusztetten Bude«, wo Schimmi oft aß, und bestellten wie er Pommes rot-weiß.

Touristen verirrten sich nur selten nach Duisburg-Marxloh. In den 50er Jahren nannte man den Stadtteil wegen seiner zahlreichen Pelzgeschäfte »Klein-Amerika«. Das ist lange her, jetzt heißt er »Klein-Istanbul«, wobei ich nicht weiß, welche Bezeichnung in diesen Zeiten unerfreulicher klingt. Dabei ist Duisburg wunderschön. Wer schlecht von der Stadt denkt, kennt sie einfach nicht. Es gibt eine Stelle an der A 42, an der ich immer anhalten oder zumindest das Tempo drosseln muss. Von dort hat man einen beeindruckenden Blick auf die imposante Kulisse von Thyssen, gestochen scharf heben sich die Umrisse der Hochöfen vom roten Abendhimmel ab. Wer das nur einmal gesehen hat, ist überwältigt von der bizarren Schönheit und weiß, was ich meine. Ich habe schon viele Wunder der Welt bestaunt, den Grand Canyon, die Niagara Fälle und die Fjorde von Norwegen, aber nirgends wird mein Herz so berührt wie an jener Stelle an der A 42.

Geboren bin ich jedoch in dem kleinen Dorf Akpınar Köyü in Anatolien, in das die jährliche Sommerreise führte. Akpınar Köyü bedeutet »das Dorf der reinen Quelle«, und bis heute holen die Frauen das klare Wasser mit Krügen von den Brunnen. Es wäre der perfekte Ort für alle gestressten Manager mit Burnout-Syndrom, Milliarden Kilometer entfernt von Globalisierung, feindlichen Übernahmen und verprellten Aktionären.

An einem Frühlingstag vor gut dreißig Jahren kam ein Mann in dieses Dorf und erzählte von Arbeit in einem anderen Land. Mein Vater, Schafhirte in der dritten Generation, überlegte nicht lange, verließ sich auf seinen Instinkt und folgte dem Ruf. Dabei hatte er keinerlei Gewissheit, wohin er ihn führen würde. Am Tag meiner Geburt verließ er unser Dorf. Er gab mir noch den Namen seiner verstorbenen Mutter und stieg dann in den Bus, der ihn nach Istanbul bringen sollte. Von dort ging es weiter mit dem Zug nach Deutschland. In Duisburg fand er eine Anstellung als Bergmann bei der Ruhrkohle. Erst drei Jahre später kam er mit Flugtickets in der Hemdtasche zurück und holte seine Familie nach, meine Mutter, meine große Schwester und mich.

Wer im Ruhrgebiet aufwächst, hat nicht nur den Geruch von verbrannter Kohle in der Nase, wenn er das Haus verlässt. Auch zu Hause in unserem Duisburger Zechenhaus stand ein Kohleofen. Mein Vater bekam jedes Jahr zwei Tonnen Eierkohle kostenlos geliefert und sah keinen Grund, sich eine Heizung in sein Haus bauen zu lassen. Die Kohle brachte die Ruhrkohle mit einem Lastwagen bis vor die Hofeinfahrt, und um sie in den Keller zu schaffen, mussten meine Geschwister und ich die ovalen Kugeln in Eimern bis zum Kellerfenster tragen. Dort hatte mein Vater eine Art Holzrutsche installiert, auf der die Eierkohle durch das Fenster in den Keller herunterkullerte.

Ablam füllte die Eimer, weil sie angeblich zu schwach zum Tragen war, und der Rest der Familie schleppte die Kohle zur Rutsche und schüttete sie hinunter. Nach zehn Minuten hatten wir schwarz gefärbte Kleider, und nach weiteren zehn Minuten sahen wir aus, als kämen wir selbst aus dem Bergwerk. Ich beklagte mich bei meinem Vater und hielt ihm vor, mich zur Kinderarbeit zu zwingen. Aber mein Vater antwortete nur: »Wenn wir fertig sind, fahre ich dich gerne zum Jugendamt.«

Unser Kohleofen hatte aber auch Vorteile. Im Winter rösteten wir Kastanien auf ihm, wir toasteten frisches Brot, und mein Vater stellte abends immer einen Topf Milch darauf, die wir morgens, bevor wir zur Schule gingen, heiß tranken. Im ganzen Haus roch es wunderbar, wenn sich der Duft der Brote mit dem des Feuers mischte und durch die Räume zog. Hatten meine Geschwister und ich draußen im Schnee genug gespielt, kamen wir ins Haus und setzen uns mit durchgefrorenen Füßen und roten Gesichtern vor den bollernden Ofen. Wir wärmten uns an den offenen Flammen und genossen die Hitze auf unseren glühenden Wangen.

In Deutschland war mein Vater sehr religiös geworden und ging täglich in die Moschee. Ab unserem zehnten Lebensjahr begleiteten meine Geschwister und ich ihn, um den Koran zu lernen. Meine Mutter kam nur selten mit, lediglich an den großen Feiertagen, ansonsten betete sie im Haus. Der Freitag war der wichtigste Tag im Leben meines Vaters, denn dann ging er zum Freitagsgebet. Es nimmt eine Sonderstellung ein, weil es anders als die fünf täglichen Gebete nicht an jedem Ort verrichtet werden kann. »Cuma namazı« muss in der Gemeinschaft gebetet werden. Es sind nur die männlichen Muslime dazu verpflichtet, so dass meine Brüder ab der Pubertät meinen Vater begleiteten.

Der Grund, warum Muslime zum Freitagsgebet in die Moschee kommen müssen, ist die Predigt des Geistlichen, des Hocas. Er erinnert den Moslem an seine Pflichten gegenüber Allah und der Menschheit, und den Gläubigen werden Verhaltensregeln verkündet. An den großen Feiertagen wie dem Opferfest gingen wir alle gemeinsam in die Moschee. Dann wurde der Hauptraum der Moschee mit einem Vorhang geteilt. Mein Vater und meine Brüder saßen auf der einen Seite, meine Mutter mit meinen Schwestern und mir auf der anderen.

Ich erinnere mich an den durchdringenden Geruch nach schmutzigen Socken, Schweißfüßen und Küchenmief, der uns schon am Eingang empfing. Hier stapelten sich die Schuhe der Gläubigen, viele waren von Regen oder Schnee durchnässt und so aufgeweicht, dass man ihre ursprüngliche Farbe nur noch erahnen konnte. Sie hatten Stockflecken und waren verbeult. Türken ziehen ihre Schuhe vor der Tür jedes Hauses aus, damit der Straßendreck draußen bleibt. Eigentlich ein sinnvoller Gedanke, aber manchmal frage ich mich, ob nicht auch Socken diesen hohen hygienischen Ansprüchen standhalten sollten?

Drinnen war es schön warm, auch hier standen zahlreiche Kohleöfen, und der Gebetsraum war vollständig mit Teppichen ausgelegt. Die kostbaren Bodenbeläge waren bunt gemustert und so flauschig, dass meine Füße darin versanken. Nur während des Gebets wurde es unangenehm, weil nicht nur meine Zehen, Knie und Handflächen den Boden berühren mussten, sondern auch meine Stirn, so dass ich die Füße meiner Vorderfrau riechen konnte.

Als ich zehn Jahre alt war, ging ich mit der Familie einer deutschen Freundin das erste Mal in eine Kirche, und ich wunderte mich, dass wir auf harten Holzbänken sitzen mussten. Zwar roch es besser als in unserem Gotteshaus, aber ich fror bitterlich, dabei war es nicht einmal Winter.

Manchmal langweilte ich mich in der Moschee während der Predigt des Hocas und zählte die unterschiedlichen Muster auf den Teppichen oder starrte so lange auf die verschnörkelten Koranverse, die in goldenen Rahmen an den Wänden hingen, bis sie vor meinen Augen verschwammen. Wenn ich Glück hatte, ergatterte ich ein »Tesbih«, eine Gebetskette aus 99 farbigen Perlen, die an Ständern entlang der Wände hingen. Ich ließ sie nach dem Gebet durch die Finger gleiten, murmelten dreiunddreißig Mal »Subhanallah« (Gepriesen sei Allah), dreiunddreißig Mal »Elhamdulillah«, (Jeder Dank gebührt Allah) und dreiunddreißig Mal »Allahu Ekber« (Allah ist groß). Manchmal spielte ich mit den Perlen allerdings in Gedanken »Er liebt mich, er liebt mich nicht«.

Es war mir unmöglich, mit Gebeten und Moscheebesuchen religiöse Einkehr oder innere Ruhe zu finden. Dazu war ich noch zu jung. Ich beherrschte die meisten Suren zwar schon, aber weil ich die arabischen Wörter nicht verstand, konnte ich mit ihnen nicht viel anfangen. Ich lernte das arabische Alphabet, setzte die Buchstaben aneinander und sprach Wörter, die für mich keinen Sinn ergaben. Meine Eltern wollten es so, weil sie es als muslimische Pflicht ansahen. Einmal fragte ich meinen Vater, warum ich Suren lesen müsse, die ich nicht verstehe. Er wurde sehr böse und antwortete: »Du brauchst sie nicht zu verstehen, Allah versteht sie.« Danach fragte ich ihn nie wieder.

Zu Hause gab es außer dem Koran und dem islamischen Abreißkalender meines Vaters kaum etwas zu lesen. Ich hatte in der Schule deutsch schreiben und lesen gelernt und war neugierig, was es sonst noch für Bücher gab. Einmal die Woche hielt in unserer Straße ein Bücherbus von der städtischen Bibliothek. Sobald mein Vater in die Moschee gegangen war, schlich ich mich in den Bus und lieh mir so viele Bücher, wie ich nur tragen konnte. Zu Hause versteckte ich sie unter meinem Bett, und wenn es Abend geworden war und wir eigentlich schlafen sollten – mein Vater musste um fünf Uhr morgens aufstehen und ging zum Glück immer sehr früh ins Bett –, zog ich meine Taschenlampe hervor und las heimlich unter der Bettdecke. Grimms Märchen waren meine Lieblingslektüre, die Geschichten von Dornröschen, Aschenputtel, der Prinzessin auf der Erbse oder von Schneeweißchen und Rosenrot. Ich konnte gar nicht genug davon bekommen. Aber ich verschlang auch die Bücher von Hanni und Nanni, den Fünf Freunden und andere Abenteuergeschichten.

Meine Geschwister lachten mich häufig aus, wenn sie mich dabei ertappten, wie ich mich Seite für Seite durch meine Bücher fraß. Sie hielten mich für verrückt, weil ich es vorzog zu lesen, anstatt mit ihnen zu spielen oder fernzusehen. Vielleicht ist das auch der Grund, warum sie bis heute ein umgangssprachlicheres Deutsch sprechen als ich. Durch die Bücher habe ich ein Sprachgefühl für die deutsche Sprache entwickelt, das ihnen, obwohl sie akzentfrei deutsch sprechen, fehlt.

Eine Fernsehsendung ließ allerdings selbst ich mir nicht entgehen, und das war »Dallas«, immer dienstags um 21.45 Uhr. Wie bewunderte ich das Traumpaar Bobby und Pamela Ewing, wie erstaunt war ich über die Frechheiten von Lucy, die sich ja wirklich alles erlauben durfte. Dallas, das war mein Fenster zur westlichen Welt. Wie enttäuscht war ich, als ich später feststellen musste, dass im Westen vieles anders war als in dieser scheinbar so glanzvollen amerikanischen Welt.

Ob aus Trotz oder aus Wissensdurst – in der Schule war ich eine der Besten. Wir Türken kamen damals alle auf die Hauptschule, besonders die Mädchen. Dort machten sie ihren Abschluss (oder auch nicht), heirateten (oder wurden verheiratet), bekamen viele Kinder und versanken zwischen Windeln, Kochtöpfen und Einkaufstaschen. Für mich stand fest, dass ich das nicht wollte, jedenfalls nicht ausschließlich. Ich war fest entschlossen, eine richtige Ausbildung zu machen. Außerdem wollte ich mein Kopftuch loswerden. Es stand mir einfach nicht, es machte mich klein und hässlich, ich fühlte mich nicht wohl damit. Sobald ich nur raus aus unserem Haus und um die Ecke war, zog ich es mir vom Kopf und stopfte es in meinen Schulranzen. In der Schule mussten wir es nicht tragen, im Gegenteil, der Direktor hatte es sogar verboten. Wir liebten ihn dafür.

Meine Mutter kann das bis heute nicht verstehen. In ihrem Leben hatte das Kopftuch immer etwas sehr Bedeutsames. Es war eine Ehre, und man musste ein bestimmtes Alter erreicht haben, bevor man es überhaupt anziehen durfte. Alle Mädchen und Frauen in ihrem Dorf trugen eines, sie wuchs damit auf, und es gehörte zu ihrer Aussteuer. Sie verzierte ihre Tücher liebevoll mit Stickereien und Borten und trug sie an ihrem Hochzeitstag. Die Farbe des Kopftuches war festgelegt und richtete sich nach dem Alter der Trägerin: Junge Mädchen hatten weiße Tücher, Frauen im Heiratsalter rote, und alten Frauen waren die schwarzen Kopftücher vorbehalten.

Für meine Mutter ist das Kopftuch ein Teil der islamischen Tradition. Inzwischen käme sie nicht mehr auf den Gedanken, sich damit schmücken zu wollen. Sie trägt schon lange keine auffälligen Muster mehr, sondern bevorzugt gedeckte Farben wie beige oder grau, und befestigt die Enden mit zwei schlichten Knoten unterhalb ihres Kinns. Sie sei ja, wie sie sagt, kein junges Mädchen mehr.

Auch meine große Schwester hat ihr Kopftuch nie abgelegt. Ablam trägt wunderschöne Tücher von Kenzo, Versace und Valentino, für die sie bereit ist, zwischen hundert und vierhundert Euro auf den Tisch zu legen. Das Kopftuch ist für sie einerseits ein Zeichen von Religiosität und andererseits ihr wichtigstes modisches Accessoire. »Nirgendwo steht geschrieben, dass sich Musliminnen kleiden müssen wie Vogelscheuchen!«, sagt sie. In ihrem Schrank liegen über fünfzig verschiedene Tücher in allen Farbschattierungen und aus den unterschiedlichsten Stoffen. Im letzten Sommer trug sie Tücher, auf denen goldene Ketten und Anker gedruckt waren, im Winter bevorzugt sie kräftige Farben oder Batikmuster. Kopftuchmode unterliegt genau wie andere Moden saisonalen Strömungen.

In einer anderen Schublade bewahrt Ablam Broschen, Nadeln aus hochkarätigem Gold und Perlen auf, die sie einsetzt, damit das Tuch nicht verrutscht. Es ist die vordere Partie, die beim Kopftuch sitzen muss – rund oder eckig, je nach Geschmack der Trägerin. Wenn Ablam ein Seidentuch trägt, legt sie ein Stück Frischhaltefolie auf ihren Oberkopf, damit das Tuch nicht nach hinten rutscht. Es gibt Dutzende Arten, das Tuch zu binden, und manchmal stecken unter den kunstvollen Gebilden nicht einmal lange Haare, sondern modische Kurzhaarfrisuren oder kleine Stoffbälle, die das Kopftuch in eine bestimmte Form fallen lässt. Jede muslimische Frau bindet ihr Kopftuch anders, je nachdem, aus welchem Land sie stammt.

Türkische Teenager zum Beispiel knoten ihre Haare zu einem dicken Dutt auf dem Kopf, damit das Tuch einen hohen Ansatz hat. So fällt es wie ein Wasserfall über ihre Schultern. Oder sie klappen einen Teil des Tuches in Höhe ihrer Augenbrauen zu einem Dreieck nach innen, um ihr Gesicht in einen Rahmen zu setzen.

Als ich ein Kind war, wusste ich nicht, was für eine Tradition und Kultur, welche religiöse Bedeutung sich hinter dem Kopftuch verbarg. Ich empfand es lediglich als lästig und wollte mich davon befreien.

In der Schule hatte ich eine Lieblingslehrerin. Sie unterrichtete uns in Deutsch und Englisch. Frau Krüger war damals Anfang dreißig, hatte weder Mann noch Kinder und war für mich der Inbegriff von Unabhängigkeit. Wenn ich beobachtete, wie sie mit ihrem kleinen roten Auto auf den Lehrerparkplatz fuhr, glühte mein Herz vor Bewunderung. Frau Krüger brachte mir auch das Wort »volljährig« bei. »Wenn du achtzehn bist, Hatice«, sagte sie zu mir, »dann bist du volljährig. Dann kann dir niemand mehr etwas sagen.« Das prägte sich mir unauslöschlich ein. Kaum hatte ich mein siebzehntes Lebensjahr vollendet, bewarb ich mich kurzerhand um einen Ausbildungsplatz beim Amtsgericht und zog von zu Hause aus. Meine Eltern waren nicht sonderlich begeistert, aber was sollten sie machen? Erst fand ich ein Zimmer im Studentenheim, schließlich, einige Jahre später, konnte ich mir sogar eine eigene Wohnung leisten.

Mit dem Tag meines Auszugs begann ich ein neues Dasein. Sogar mit dem Zählen meiner Geburtstage fing ich wieder bei null an. Vormittags marschierte ich ins Gericht oder in die Berufsschule, nachmittags und am Wochenende jobbte ich in einer Eisdiele. Und nachts, ja nachts, da holte ich das Leben nach. Meist trafen wir uns im »Old Daddy«, der angesagtesten Diskothek im ganzen Ruhrgebiet. Ich machte meine ersten Erfahrungen mit Alkohol und anderen Drogen. Es gab nichts, was ich nicht ausprobierte.

Auch bei der Berufswahl mangelte es mir nicht an Phantasie. Nach der Ausbildung ging ich für ein Jahr als Au-pair-Mädchen nach New York, machte mein Fachabitur nach, arbeitete als Übersetzerin, fing ein Studium für Betriebswirtschaft an und half in einem Callcenter aus. Mein Ehrgeiz ließ mich nicht in Ruhe. Ich versuchte alles so lange, bis mich die Lust verließ und wieder etwas Neues meine Leidenschaft entfachte. In dieser Zeit lernte ich auch meinen ersten festen Freund Stefan kennen und zog mit ihm zusammen.

Zum Journalismus kam ich mehr oder weniger zufällig, weil in der Lokalredaktion der Westdeutschen Allgemeinen Zeitung in Duisburg jemand gebraucht wurde, der für Gerichtsreportagen türkische Kriminelle interviewte. Doch dabei blieb es nicht. Ich machte ein Volontariat und steckte plötzlich bis über beide Ohren in Interviews, Recherchen und Reportagereisen. Endlich hatte ich einen Beruf gefunden, von dem ich mir vorstellen konnte, dass ich ihn für den Rest meines Lebens ausüben wollte.

Als in Berlin eine neue Zeitschrift gegründet wurde, zog ich in die Bundeshauptstadt. Erst jetzt begann für mich das eigentlich unabhängige Leben, von dem ich immer geträumt hatte. Ich war verantwortlich für die Glamourseiten des Magazins und kam selbst mit jeder Menge Glamour in Berührung. Ich machte Interviews mit Cameron Diaz und Drew Barrymore, trank Champagner mit Sean Connery, traf Brad Pitt, scherzte mit Tom Cruise und starrte tief in die Augen von Robbie Williams. Ich rauschte von einer wilden Party zur nächsten, von Filmpremieren zu Modemessen, reiste nach Monaco und Cannes, nach Hollywood und Mailand, wohnte in schicken Luxushotels, lief über rote Teppiche, trug lange Abendkleider und hochhackige Schuhe. Es war eine wunderbare Zeit, die ich in vollen Zügen genoss. Immer wenn ich auf irgendeiner Luxusjacht über das Mittelmeer schipperte, Champagner nippte oder Häppchen zwischen den Fingerspitzen balancierte, musste ich unwillkürlich an meine anatolische Familie in ihrer Sofalandschaft denken oder an das Leben in unserem Dorf und die Schafe meines Großvaters. Dann staunte ich immer wieder über den weiten Weg, den ich zurückgelegt hatte.

Zwei Jahre später war das süße Leben vorbei, genau zur richtigen Zeit, denn allmählich begann ich mich zu langweilen und suchte nach einer ernsthaften Auseinandersetzung. Noch bevor unsere Redaktion aufgelöst und wir wegen der Medienkrise entlassen wurden, verschickte ich ein Reportageangebot zu Afghanistan an verschiedene Zeitungen und bekam prompt eine Zusage. Ich winkte meiner Glamour-Redaktion »bye-bye« und befand mich schon kurze Zeit später im Flugzeug nach Kabul.

Mehrere Monate lang hatte ich mich bereits intensiv mit dem Sturz der Taliban befasst. Ich hatte alle Artikel darüber gelesen, und mich beschäftigte die Frage, wie viel Freiheit der Krieg für die Frauen in Afghanistan bringen würde. In Kabul suchte ich eine Fahrschule für Frauen und den gerade neu eröffneten Schönheitssalon auf, ich wollte mit den Frauen über ihre Hoffnungen und Träume sprechen, wollte mich mit ihnen über ihr neues Leben freuen. Die Aufbruchstimmung, die ich gehofft hatte vorzufinden, bestätigte sich jedoch nur teilweise.

Zwei Wochen blieb ich in Afghanistan, stolperte durch die Ruinenstadt, machte meine Interviews und führte unendlich viele Gespräche. Sogar zum Frauengefängnis bekam ich Zugang. Das lag unter anderem daran, dass ich einen arabischen Namen habe und Kopftuch trug. Zum Glück hatte ich überhaupt eines dabei, eher beiläufig hatte ich es vor meiner Abreise in den Koffer gesteckt. Zum ersten Mal seit meinem Abschied vom Elternhaus setzte ich es selbstverständlich wieder auf. Ohne das Kopftuch fühlte ich mich in diesem Land ausgeliefert und nackt. In den Augen der Frauen, die sich ohne Burka gar nicht aus dem Haus trauten, wirkte meine Aufmachung natürlich revolutionär.

Auf dem Rückflug von Afghanistan wurde mir zum ersten Mal bewusst, wie mannigfaltig viele Möglichkeiten ich habe, meinen damals vielleicht etwas überstürzten Ausbruch aus dem Elternhaus in Zukunft sinnvoll zu nutzen. Einerseits fand ich in den Jahren danach Zugang zu Deutschland und der westlichen Parallelwelt, andererseits hatte und habe ich in meinem Beruf Gelegenheit, aus der Erfahrung und den Eindrücken zu schöpfen, die mich in meiner streng anatolisch-muslimischen Kindheit geprägt haben. Ohne die Kopftuch-Erfahrung und die Kenntnisse über die Welt der Frauen in muslimisch geprägten Gesellschaften hätte ich niemals eine Reportage über das neue Kabul schreiben können. In den letzten Jahren habe ich mich verstärkt türkischen Themen zugewandt, ich war noch einmal in Solingen und habe Rückschau gehalten, zehn Jahre nach dem Brandanschlag. Mit Glamour hat das nichts mehr zu tun.

Meine Eltern und ich haben längst wieder zueinander gefunden. Ich zolle ihnen den gebührenden Respekt, und sie haben mein unabhängiges Leben akzeptiert. Wenn ich sie besuche, halte ich, kurz bevor ich ihr Haus in Duisburg erreiche, an, öffne den Kofferraum und hole eine Bluse mit halblangen Ärmeln und einen knielangen Rock aus meiner Tasche. Erst wenn ich mich umgezogen habe, fahre ich weiter. Das erspart mir lange Diskussionen mit meinem Vater, er hat Recht, und ich habe meine Ruhe.

Schon lange geht es mir hierbei nicht mehr ums Prinzip, auch fühle ich mich als Frau nicht unterdrückt. Es ist mir einfach egal, ob der Rock, mit dem ich zu meinem Vater fahre, nun oberhalb oder unterhalb des Knies endet. Für meinen Vater wäre die kürzere Version dagegen eine Provokation, und so lasse ich es eben sein. Vor zehn Jahren hätte ich den Rock extra noch eine Handbreit kürzer getragen, nur der Rebellion wegen. Das habe ich heute nicht mehr nötig. Und außerdem sind meine Beine für Miniröcke ohnehin zu rundlich geworden.

Manchmal besuchen meine Eltern auch mich. Selbst wenn sie ihre Welt dabei in die meine hineintragen, freue ich mich über ihren Besuch. Ich räume alle meine hochhackigen Schuhe und die dekolletierten Kleider weg, verstecke die Zeitschriften mit den halbnackten Modells auf dem Cover und richte die Wohnung so her, dass meine Mutter nicht sofort in Ohnmacht fällt. Als mich die beiden erstmals in Berlin besuchten, schliefen sie sogar in meinem Bett. Ich habe mich so gefreut, dass ich beinahe in Tränen ausgebrochen wäre, aber ich ließ mir nichts anmerken.

Am nächsten Morgen fragte mich mein Vater, woher ich diese Decke hätte. Er habe wahnsinnig gut geschlafen. Ich schaute ihn verständnislos an. Na, diese Kopfkissen und die Decken. Die seien so wunderbar leicht, dabei so warm und angenehm. Er war vollkommen begeistert. Während meine Mutter die Küche auf den Kopf stellte, um noch möglichst viele Vorräte für mich anzulegen, bevor die beiden wieder abreisten, spielte ich mit meinem Vater »tavla«. Die Sonne schien durch die schrägen Fenster meiner Dachwohnung, das Licht fiel auf das schöne alte Gesicht meines Vaters, sein immer noch volles Haar, und es war einen Moment lang so, als hätte es nie ein Problem zwischen uns gegeben.

Bei meinem nächsten Besuch in Duisburg hatte ich ein umfangreiches Geschenk im Gepäck. Es wog nicht schwer, aber es war sehr groß. Nachdem mein Vater umständlich Papier und Bänder entfernt hatte, leuchteten seine grünen Augen. »Berliner Daunendecken«, sagte er nur leise und strich glücklich mit der Hand über die glatte weiche Oberfläche.

6 *Einmal Hans mit scharfer Soße*

Beim ersten Date mit einem Mann habe ich keinen Sex, sondern verheiße Sex. Das erhöht die Chancen auf ein weiteres Treffen ungemein. Wenn mein Auserwählter den Anschein erweckt, er habe Zukunftspotenzial, fange ich bereits drei Tage vor dem nächsten Treffen mit den Vorbereitungen an. Es geht los mit Saftfasten und täglichen Bauch-Beine-Po-Kursen, gefolgt von Pediküre, Maniküre sowie Ganzkörper-Haarentwachsen und endet damit, dass ich ein neues Kleid kaufe. Weil ich weiß, dass man mit so einfachen Tricks keinen Mann erobert, fahre ich kurz vor dem Wiedersehen die ganz großen Geschütze auf: Ich bade in Milch und Honig, lasse beim Friseur die Haare hochstecken, bestelle meine Freundin Julia zu mir nach Hause, um überprüfen zu lassen, ob das Kleid nicht einen dicken Po macht, und lege meine Juwelen an: die High Heels. Ich liebe es, mich auf Dates vorzubereiten. Manchmal verabrede ich mich nur wegen der Vorbereitungen, obwohl mich der Mann gar nicht interessiert.

Mit einem Date meine ich aber nicht dieses Candlelight-Diner-Zeug mit Kaminfeuer, australischem Shiraz und anschließendem Gefummel auf der Ledercouch. Ich meine die Abende, an denen die Luft brennt, an denen einem vor Aufregung übel wird und man viel zu schnell viel zu viel Alkohol trinkt.

In der letzten Zeit ist das leider nicht mehr allzu oft passiert. Was vielleicht daran liegt, dass mein feuriges anatolisches Herz von leidenschaftslosen Mitteleuropäern regelmäßig schockgefrostet wird. Nach den letzten missglückten Dates musste ich mich nicht nur um die Eiseskälte in meinem Herzen kümmern, was bisher mit einer Flasche Prosecco ganz gut in den Griff zu bekommen war, sondern mir auch noch die Standpauke meiner Schwester Fatma aus der Türkei anhören: »Da sitzt du in einem Loft mit Blick über Berlin, schlürfst jeden Morgen Latte Macchiato, trägst Gucci Mucci, und dein Herz friert trotzdem!« Während sie auf mich einschimpft, sitzt sie wie gewöhnlich auf ihrem Balkon in Izmir und feilt sich die Nägel.

Dabei habe ich gar nicht mal die höchsten Ansprüche. Ich will nur Leidenschaft, ein paar Komplimente, gar nicht viele, vielleicht eins pro angefangene Stunde. Ich will, dass er sich nach mir verzehrt und nervös auf dem Stuhl hin und her wippt. Und dafür zahle ich auch gern die Hälfte – ach, was rede ich – die ganze Rechnung.

Fatma sagt, dass eine Frau bei den ersten Treffen alles verdiene: Leidenschaft, Komplimente und ein fürstliches Essen. Denn sei man erst einmal verheiratet, lege sich der Enthusiasmus des Mannes schon von ganz allein. Wenn der deutsche Prinz das erste Treffen verpatzt, dann solle ich ihn lieber gleich links liegen lassen.

Mit Ablam kann ich besser über meine Probleme mit deutschen Männern reden. Sie hört sich alles geduldig an, gibt mir den Ratschlag, es mal mit einem Türken zu probieren, und verspricht, dass sie unser Gespräch für sich behält. Nun ist es nicht einfach für eine Türkin, Geheimnisse für sich zu behalten. Ich kenne das sehr gut. Ablam ruft Fatma in der Türkei an, erzählt ihr alles, aber beschwört sie, es in jedem Fall für sich zu behalten. Kurze Zeit später klingelt mein Telefon, und dann folgt eine dieser Situationen, in denen ich Ablam erwürgen könnte und meine Schwester Fatma hasse, weil sie mir wieder einmal zeigt, wie deutsch ich mittlerweile geworden bin. Erst ist Stille in der Leitung, dann höre ich, wie Fatma tief Luft holt, und dann muss ich den Hörer mindestens zwanzig Zentimeter von meinem Ohr weghalten: »Kann es sein, dass auf dieser gottverdammten Welt nur deutsche Männer auf die Idee kommen, beim ersten Date getrennt zu zahlen? Und kann es sein, dass du die einzige Frau bist, die sich das auch noch gefallen lässt? Was habe ich nur für eine Helga zur Schwester?«

Niemals darf sie erfahren, dass ich meistens die Rechnung im Restaurant sogar ganz übernehme, weil mir Getrenntzahlen so unangenehm ist. Die peinliche Situation vor dem Kellner überspiele ich gerne mit dem Spruch: »Ach, gib schon her, heute sitzt ja zufälligerweise die türkische Gastfreundschaft mit am Tisch.«

Fatma hat ja leider Recht. Ich verstehe auch nicht, warum deutsche Männer eine Vorliebe für diese Art von Knauserigkeit haben. Ich jedenfalls habe das bei keinem Mann anderer Nationalität je erlebt. Ein Türke würde seine Freunde anpumpen oder sein Auto verkaufen, um die Frau seines Herzens in das beste und teuerste Restaurant einladen zu können, und die Frau würde nicht einmal merken, dass er total abgebrannt ist. Türkische Männer sind perfekt im Selbstmarketing. Immer einen auf dicke Hose machen und ganz selbstverständlich so tun, als hätte man die Taschen voller Geld: »Eine Frau wie du, in diesem Kleid, braucht nie wieder ein Portemonnaie.« Ich muss zugeben, ich mag diese Art von Kompliment, obwohl es sehr machohaft klingt. Einmal trug ich ein Kleid, in dem ich aussah, als sei ich reingeschossen worden, und das Einzige, was mein Hans darauf sagte, war: »Nett siehst du aus.« Daraufhin habe ich ihn an den Schultern gepackt, habe ihn geschüttelt und geschrien: »Gib mir Leidenschaft, verdammt, ich will Leidenschaft!« Er schaute mich nur verwirrt an.

Ich habe bisher nur ein einziges Mal einen deutschen Mann getroffen, der eine türkische Seele hatte. Er hat blaue Augen, goldgelbes Haar und nur ein winzig kleines Problem. Schon seit vielen Jahren besaß er ein Trikot seines Lieblings-Fußball-vereins MSV Duisburg. Es hatte einen Ehrenplatz in seinem Kleiderschrank. Alle acht bis zwölf Wochen nahm er es aus dem Schrank, wusch es im Waschbecken mit Shampoo für extra weiche Haare, hängte es zum Trocknen auf einen Holz-bügel, faltete es nach dem Trocknen so, dass das Logo des da-maligen Sponsors Sparkasse genau in der Mitte war, und legte es zurück an seinen Platz.

Er liebte dieses Trikot sehr, nur hatte es einen großen Makel. Er hatte es geschenkt bekommen, als er dreizehn war. Damals trug er Kindergröße 156. Mittlerweile einen Meter neunzig groß und 85 Kilo schwer, passte nur noch sein rechter Arm hi-nein.

Als er mich das erste Mal darum bat, meinte ich zu ihm, er sei pervers. »Bitte«, flehte er mich an. Ich lehnte kategorisch ab. Er fragte mich wieder. Er fragte mich bei allen Heimspie-len, so lange, bis ich irgendwann genervt nachgab. Kurz bevor wir uns zu dem Spiel aufmachten, ging ich ins Schlafzimmer, nahm die Rarität aus dem Schrank und zog sie an. Ich sah aus, als würde Pamela Anderson das zu heiß gewaschene T-Shirt von Ally McBeal tragen. Als ich vor ihm stand mit dem Trikot, das über dem Busen so spannte, dass meine Brustwarzen weh-taten, und einem MSV-Schal, den ich mir um die Hüften ge-wickelt hatte, fing er vor Freude an zu weinen. Ich schwöre, Tränen liefen ihm die Wange herunter. Ich zog es an und stellte mich mit ihm in die Nordkurve. Und er versprach, mich zu heiraten und mir immer und ewig treu zu bleiben.

Deutsche Männer sind schon komisch. Sobald sie Komplimente machen und ihre Liebe beschwören sollen, fällt ihnen nichts ein. Aber wenn es um Fußball und Autos geht, entwickeln sie geradezu türkische Leidenschaftlichkeit.

Jetzt muss ich einmal klarstellen, was ich unter einem Kompliment verstehe. »Canım« heißt »meine Seele«. Wenn ein türkischer Mann »hayatım« zu mir sagt, bedeutet das, ich bin nicht nur der Grund, warum er morgens aufsteht, und der letzte Gedanke, den er vor dem Schlafengehen hat, sondern dass sein Leben ohne mich nicht denkbar ist, dass ich sein ganzes Leben bin. Auch »şekerim« höre ich gerne, das bedeutet »meine Süße«, und wenn man bedenkt, welche köstlichen Süßspeisen die türkische Küche hervorgebracht hat, dann kann man den unaussprechlichen Genuss, der in diesem Wort mitschwingt, zumindest einigermaßen ermessen.

Aber, Achtung! Man darf dieses wunderbare Kompliment bitte niemals mit »sikerim« verwechseln, sonst gibt es Ärger. »Sikerim« ist der schlimmste Fluch der türkischen Sprache und heißt so was Ähnliches wie »Ich werde dich jetzt mal so richtig nageln«. Und ehrlich gesagt möchte ich nicht dabei sein, wenn jemand diese beiden Wörter verwechselt. Das Wort »Sikerim« ist so unanständig, dass ich mich nicht einmal traue, es ganz genau ins Deutsche zu übersetzen. Das Besondere an diesem Wort ist, dass man es bei Bedarf beliebig auf die ganze Verwandtschaft ausweiten kann, je nachdem, wie wütend man ist. Dem Türken reicht es nie, nur denjenigen zu beleidigen, auf den er zornig ist, sondern er muss die Mutter, die Ehefrau oder sogar die ganze Verwandtschaft mit ins Spiel bringen. Und am liebsten kombiniert er alle Varianten. Das hört sich dann so an: »Senin ananı, avratını, sülaleni, gelmişini, geçmişini sikerim« (Ich nagele erst deine Mutter, deine Ehefrau, deine ganze Verwandtschaft und zum Schluss deine Vorfahren und Nachkommen).

Vorsicht auch mit Koseworten: Eine Türkin darf man niemals Hase, Maus oder Bärchen nennen. Das gibt Ärger. Hase heißt auf türkisch »tavşan« und sagt als Kosename indirekt aus, dass die Angebetete Hasenzähne hat. Mäuschen sind für Türken in der Regel klein und hässlich, und Bärchen bedeutet, dass die Liebste nicht nur dick, sondern genau so behaart ist wie ein Bär. Gerade in punkto Maus könnten sich die Deutschen ruhig ein Beispiel an den Türken nehmen. Eine Nation, die zu Jungen »kleiner Mann« sagt, Mädchen aber nur mit »Mäuschen« liebkost, hat noch lange nicht begriffen, wer die eigentliche Power im Land hat.

Ein Wort, das die Deutschen auch leicht verwechseln könnten, ist »tekmelemek.« Es bedeutet nicht etwa Techtelmechtel, sondern jemandem so lange Tritte zu verpassen, bis er blutend auf dem Boden liegt. Genau das passiert, wenn ein Mann einer türkischen Frau den falschen Kosenamen gibt.

»Wenn du Leidenschaft willst, warum suchst du dir dann eine Kartoffel aus? Willst du einen echten Mann oder einen, der morgens die Brötchen holt?«, fragte mich meine türkische Freundin Hülya. Natürlich will ich einen Mann und keinen Brötchenholer. Hülya hat gut reden. Schließlich hat sie selbst hart daran gearbeitet, dass aus ihrer Kartoffel ein echter Mann wird. Während ihres ersten Dates mit ihm zog sie unter dem Tisch des Restaurants mit zwei Handgriffen unauffällig ihr Höschen aus, drückte es ihm noch vor dem Dessert zärtlich in die Hand und sagte: »Komm, lass uns gehen.« Der Mann war erst irritiert, grinste dann aber und verschwand mit ihr. Die beiden sind nun ein Paar, und Hülya erzählte stolz, dass sie ihn schon sehr verleidenschaftlicht habe und es bestimmt nicht mehr lange dauern würde, bis er ihr sogar eine Liebeserklärung auf Türkisch machen werde. Ich überlegte kurz, ob ich das mit dem Höschen beim nächsten Date auch versuchen sollte, aber ich verwarf die Idee schnell wieder, als ich zu Hause bei dem Versuch, es unauffällig unterm Tisch auszuziehen, vom Stuhl fiel.

Ich finde es nicht zu viel verlangt, dass ein Mann sein Date an der Haustür in Empfang nimmt, selbst wenn es draußen sehr kalt ist, und sich nicht kurz vorher per Handy mit: »In einer Minute bin ich da. Kommst du runter?« meldet, damit er nicht aus dem Auto steigen muss. Ein türkischer Mann würde nicht nur klingeln und vor der Tür warten, sondern vorher auch noch seine Jacke ausziehen und die obersten drei Knöpfe seines Hemdes aufknöpfen. Er würde sich lässig an sein Auto lehnen und mit einem lasziven Blick jeden Schritt der Frau aufsaugen. Dann würde er sich mit einem Satz vor sie stellen, mit zarten Küsschen links und rechts begrüßen, ihr sagen, dass sie sein Leben sei, galant die Autotür öffnen und natürlich auch wieder schließen. Aber all das könnte er erst nach zwanzig Minuten tun, denn so lange lässt eine türkische Frau üblicherweise auf sich warten – was ihr kein türkischer Mann jemals übel nehmen würde, weil es ganz einfach zu den Regeln des Datens gehört.

Vor einiger Zeit holte mich ein deutscher Mann mit dem Auto von zu Hause ab. Zuerst war ich sehr zuversichtlich, weil er an der Haustür geklingelt und sich nicht über Funk angemeldet hatte. Aber als ich runterkam, sah ich, dass er im Auto saß, und das, obwohl er eine Daunenjacke trug und sein Wagen Sitzheizung hatte. Ich schwöre, ich habe auf dem Zehn-Zentimeter-Absatz meines High Heels kehrtgemacht und bin zurück in meine Wohnung gegangen. Ich konnte nur noch sehen, dass er sehr verwirrt guckte. Von oben rief ich ihn auf dem Handy an und sagte: »Jetzt hör mal gut zu, Meister! Draußen sind es zwei Grad, ich trage einen Rock, der so dünn ist wie Reispapier, auf Strümpfe habe ich verzichtet, weil die

Farbe des Lackes meiner Fußnägel mit der Farbe meines BHs übereinstimmt, meine Schuhe fangen erst zehn Zentimeter über dem Boden an, und du sitzt im Auto und wartest auf mich?« Dann legte ich auf.

Okay, danach habe ich es ein wenig bereut, er war wirklich sehr süß. Aber ich musste einmal ein Zeichen für jene Frauen setzen, auf die millionenfach in Daunenjacken und beheizten Autos gewartet wird. Und natürlich habe ich es für meine Schwester getan, die, nachdem ich ihr die Geschichte erzählt hatte, sehr stolz auf mich war.

Mein Bruder Mustafa regelt die für ihn lästigen Abholszenarien auf seine Art und Weise: Er hupt so lange, bis die Nachbarn seiner deutschen Freundin die Fenster öffnen und ihm zurufen, er solle sich verpissen. Dann dreht er die türkische Musik noch lauter, die mit einem Höllenlärm aus seinen riesengroßen Boxen dröhnt, steigt aus, zwirbelt an seinen Kotteletten herum und ruft zurück: »Ey, hast du Problem, oder was?« Er steigt zurück in seinen BMW und wartet seelenruhig auf seine Freundin.

Die Musik, die übrigens aus fast allen Autos der Türken schallt, hat für Deutsche einen ganz entscheidenden Vorteil: Sie verstehen die Texte nicht. Ich dagegen kann es manchmal gar nicht fassen, dass hartgesottene türkische Männer in ihren Cowboystiefeln, mit Klappmessern in den Hosentaschen, bei diesen hochdramatischen und unglaublich kitschigen Liedern feuchte Augen bekommen. Immer geht es um die Niedertracht zwischen Mann und Frau, wobei meist den Frauen mehr Boshaftigkeit unterstellt wird. Das finde ich ein wenig unfair. In manchen Liedtexten muss Allah die Fragen über sich ergehen lassen, die der Verlassene hat. Mit schmerzverzerrter Stimme will er von ihm wissen, warum er sein Leid billige, schließlich sei er sein Menschenkind, und er möchte wissen, ob Allah ihn nur als Spielzeug für seine anderen Menschenkinder geschaffen hätte. Bis ins Mark getroffen berichten verlassene Liebhaber oder Liebhaberinnen von ihrem Schmerz. Immer blutet das Herz, immer wurden sie wie Dreck behandelt, immer sind es gleich tausend Messer, die sie ins Herz gerammt bekamen, obwohl ihre Liebe doch so rein und einzigartig war. Obwohl sie der besungenen Person die Hölle wünschen, würden sie lieber dort mit ihnen weiterleben, als allein ins Paradies zu gelangen.

Türken geht es immer um Liebe, Tod und Leidenschaft – also um die ganz großen Dinge des Lebens. Hülya erklärt das Phänomen des orientalischen Dramas so: »Der Türke an sich liebt das Leiden. Was für eine deutsche Liebesbeziehung eine gute Mischung aus Nähe und Distanz ist, ist für den Türken einzig und allein Liebe und Schmerz.«

Und sie hat Recht: Der Türke will immer töten oder getötet werden, je nach Sachlage. Er muss jedem lautstark seine Befindlichkeiten mitteilen, damit alle Welt erfährt, was ihm widerfahren ist. Hat er Kummer, will er nicht einmal, dass die Angebetete an seinem Grab erscheint, ist er verliebt, brennt er für sie ganze Städte nieder.

Ich finde, man muss ja nicht gleich ein zweites Rom inszenieren für die große Liebe, aber ein bisschen mehr als die gemeinhin verbreitete deutsche Liebeserklärung darf es schon sein. »Ich glaub, ich mag dich« ist oftmals der Beginn einer deutschen Liebesbeziehung. Mit »Ich hab dich lieb« geht es meistens weiter, und die Krönung aller deutschen Liebeserklärungen ist: »Mit dir will ich alt werden.« Na, danke! Blond soll er sein, mein Liebhaber, feurige Blicke soll er werfen, aus blauen Augen und mit brodelndem Blut in seinen Adern. Nachdem ich mich zuletzt verliebt hatte, schrieb ich meinem Angebeteten eine seitenlange E-Mail, die mit dem Satz endete:

»Ich brenne und brenne, und du bist so schwer anzuzünden.«
Seine Antwort war ebenso prompt wie phantasielos: »Wir können ja mal zusammen einen trinken gehen.«

Leider kann ich niemanden um Rat fragen, wie ich an einen Mann meiner Vorstellung komme. Die einen verstehen mein Problem nicht, denn sie sind längst in festen Händen. Und die anderen, die selbst noch keinen haben, was soll ich von denen schon lernen? Wüsste der Glatzkopf eine Medizin, er würde sie sich selbst auf den Kopf reiben.

Bis ich ihn gefunden habe, wähle ich regelmäßig die Nummer meiner Schwester in der Türkei und höre mir die Tipps an, die ihrer Meinung nach auf jeden Fall funktionieren: »Telefoniere niemals einem Mann nach«, befiehlt sie mir. »Lass immer du dich anrufen. Gehe niemals zu einem Date, sondern sag ihm, er soll dich abholen, und versprich mir jetzt und hier für allemal, dass du nie wieder zahlen wirst!« Ich verspreche es und kreuze die Finger.

7 *Mein wunderbarer Wachs-Salon*

Neulich habe ich wieder in Milch und Honig gebadet – das tue ich regelmäßig alle zwei Wochen, und zwar in 3,5 prozentiger Vollfettmilch. Fettarme Milch in den Kaffee, fette Milch ins Badewasser, das ist einfach zu merken. Ich gieße also vier Liter Milch und eine Flotte Biene Waldblütenhonig kalt geschleudert von Langnese ins Badewasser, rühre mit einem Holzkochlöffel so lange, bis der Honig sich im heißen Milchwasser aufgelöst hat, lege mich in die Milchbrühe, trinke Prosecco und höre Leonard Cohen. Nach einer Stunde ist mein Verstand verwirrt, die Sinne geschärft, das Herz von melancholischen Liebesliedern berührt und meine Haut glatt wie Alabaster. Das alles kostet mich keine zehn Euro, und eine unbezahlbare Partyanekdote bekomme ich dazu.

Wenn es etwas gibt, womit man deutsche Männer um den Verstand bringen kann, dann ist es, so beiläufig wie möglich zu erwähnen, dass man gestern endlich einmal wieder Zeit hatte, in Milch und Honig zu baden, nur leider niemand da war, der einem die Haare gewaschen und dabei ein wenig geseufzt hätte. Die Exemplare, die bestimmt auch Kleenex neben dem Bett stehen haben, fragen: »Echt, du badest in Milch und Honig, klebt das denn nicht?« Jaaa, es klebt, aber man kann es abwaschen, verdammt noch mal! Nur türkische Männer reagieren sehr lässig und sagen »oof«, was so viel bedeutet wie »geil«.

Warum klingt für Deutsche ein Bad in Milch und Honig exotischer als zum Beispiel eine Kaviargesichtsmaske? Und warum ist die Redewendung von Milch- und Honigbädern durchaus verbreitet, aber niemand tut es? Außer natürlich Türkinnen. Weil Türkinnen wissen, dass Milch und Honig viele Vitamine haben, man eine weiche Haut davon bekommt und Badezusätze in Plastikflaschen nicht immer die besten sind. Und weil Türkinnen darüber hinaus wissen, wie man Männer um den Verstand bringt. Gibt es etwas Sinnlicheres, als in einem Milch- und Honigbad zu liegen, während der Mann vor der Badewanne kniet und einem die Haare wäscht? Stundenlang kann ich mich im Bad aufhalten und dabei völlig die Zeit vergessen.

Was meine häusliche Wanne im Kleinen, ist das Hamam im Großen: ein Bad für die Seele. In einem türkischen Dampfbad verweilt und plaudert man, es ist ein Fest für Geist und Körper. Türken lieben ihr Hamam. So sehr, dass es die Dampfbäder mittlerweile in jeder größeren deutschen Stadt gibt. Männer haben nur an bestimmten Tagen Zutritt, denn Hamams werden strikt nach Geschlechtern getrennt. Trotzdem ist ein Aufenthalt in einem Hamam mit einem perfekten Date zu vergleichen, denn die Seele wird berührt und manchmal sogar das Herz erwärmt.

Dort liegen und sitzen Frauen im »hararet«, dem Dampfzimmer, lachen und reden unaufhörlich, und die nassen Wände spucken hallend ihre Sätze wieder aus. Schon allein diese Atmosphäre unterscheidet sich sehr von einer Sauna. »Ruhe bitte, wir sind hier nicht beim Kaffeeklatsch«, wurde ich dort einmal angekeift, als ich meiner Freundin Julia flüsternd den neuesten Tratsch erzählen wollte. In der Sauna sitzen Frauen wie Hühner auf der Stange, und wenn sie einmal sehr aus sich herauskommen, hört man höchstens ein dumpfes »Puh, ist das heiß« oder »Kann mal jemand einen Aufguss machen?«

Im Hamam dagegen räkeln sich die Frauen auf dem »göbek taş«, der beheizten Marmorplatte in der Mitte des Dampfzimmers, und erzählen von Liebe und Leidenschaft und von Gedichten, die ihre Verlobten ihnen geschrieben haben. »Du bist mein Himmel, mein warmes Bett, der Wächter meines Herzens, mein Schicksal, mein Schmerzstiller, mein Appetitöffner, mein Morgenlicht, du bist alles für mich.« Die Freundinnen lächeln, hören gebannt zu, und manchmal seufzen sie ein wenig. Wenn sie ihre »peştamal«, ein robustes buntkariertes Lendentuch abstreifen, ist es, als ob kostbare Gemälde enthüllt würden: Schönheiten, mit hüftlangen schwarzen Haaren, kleinen Muttermalen auf der dunklen Haut und goldenen Punkten in den Augen.

Die Badefrauen im Hamam sehen aus, als kämen sie geradewegs aus einem Harem, so zauberhaft sind sie. Ihre Gesichter ähneln denen von persischen Prinzessinnen, ihre Augen sind wie das Öl des Kaspischen Meeres und dabei haben sie Oberarme wie ein Trupp türkischer Metzger. Machen sie sich erst einmal an die Arbeit, hat man das Gefühl, einem Sumoringer in die Hände geraten zu sein. Mit einem »kese«, einem Peelinghandschuh aus Ziegenhaar, reiben sie den ganzen Körper ab. Dreißig Minuten später fühlt man sich vier Kilo leichter. Kein Wunder, denn auf dem ganzen Körper kringeln sich parmesansplitterähnliche Hautschüppchen, die die Badefrau mit zwei, drei Wassergüssen im Abfluss verschwinden lässt. Gut, dass hier keine Männer sind, sie würden nach diesem Anblick nie wieder an die Schönheit von Frauen glauben.

Männer bevorzugen übrigens im Hamam die Seifenmassage gegenüber dem Parmesanhobel, ebenfalls ein Gimmick aus dem Osmanischen Reich. Unter einer Schaumwolke gleiten die Hände des Masseurs vom Kopf bis zu den Zehenspitzen des Badegastes auf und ab, und der Duft der Olivenseife ist herrlich frisch und wohltuend.

Die letzte Station im Hamam ist der »soğukluk«, ein Raum zum Abkühlen und Ausruhen. Gegen den Durst gibt es türkischen Tee und »ayran«, das salzige Joghurtgetränk. Auch für die Hungrigen ist gesorgt. Ein Buffet biegt sich unter der Last herrlicher Naschereien – kleine Brote, rohes Gemüse und frische Früchte.

So leidenschaftlich türkische Frauen sich dem Bad hingeben, so wichtig ist ihnen ein anderes Detail der Körperpflege – nämlich das Enthaaren. Vor ein paar Jahren nahm ich meine Freundin Julia mit zu meinen Eltern. Es war Sommer, draußen hatte es dreißig Grad, und wir fuhren in leichten Sommerkleidern mit dem Auto nach Duisburg. Meine Eltern begrüßten Julia herzlich. Wir tranken »çay«, türkischen Tee, meine Mutter kam immer wieder mit neuen Börek-Variationen ins Wohnzimmer und fragte Julia: »Du schmecken?« Draußen im Garten befeuerte mein Vater den Grill, und wir bereiteten uns innerlich darauf vor, Unmengen von Hammelfleisch vertilgen zu müssen.

Julia trug über ihrem ärmellosen Kleid eine kleine Strickjacke, die sie im Garten wegen der Hitze auszog. Ich bemerkte, wie die Feinmotorik auf dem Gesicht meiner Mutter plötzlich nachgab und sie entgeistert auf Julias Achseln starrte. Tatsächlich, jetzt sah ich es auch, unter Julias Armen quoll ein Busch von mausgrauer Farbe hervor. Beim genaueren Hinsehen wurde mir klar, dass es kein Busch war, sondern ein Urwald. Noch heute fröstelt mich, wenn ich mich daran erinnere. Auf der Rückfahrt sagte ich: »Julia, wir müssen über deine Achselhaare reden.«

Das war für mich keine Beleidigung, sondern die Ankündigung eines längst überfälligen Rituals. Ich zum Beispiel war vierzehn, als ich eines Tages von der Schule nach Hause kam und meine Mutter am Herd vorfand, wo sie ein Gebräu aus Zucker, Zitrone und Wasser zubereitete, das nicht aussah, als könne es wohlschmeckend sein. Ich wunderte mich ein wenig, machte mir aber keine weiteren Gedanken und legte mich mit einem Buch aufs Bett. Nach einer Weile klopfte meine Mutter mit dem Topf in der Hand an die Tür und sagte: »Hatice, ich muss mit dir über deine Achselhaare reden.«

Das war der schmerzhafteste Tag meines Lebens. Zumindest bis zu jenem Tag, an dem meine Mutter erneut an die Tür klopfte und mit mir über meine Bikinizone reden wollte. Ich habe kaum mehr eine Erinnerung an diese endlosen Stunden. Heute bin ich mir sicher, dass ich vor Schmerzen ohnmächtig geworden bin. Meine Mutter schnaubte nur: »Du bist von meinen vier Töchtern diejenige, die am wenigsten Schmerzen aushält. Wie willst du es jemals schaffen, ein ganzes Kind zu gebären?«

Trotz meiner damaligen Panik vor Körperenthaarung bin ich heute eine Expertin darin, und nicht selten liegen Freundinnen auf den Fliesen meines Badezimmers und lassen sich von mir warmwachsganzkörperenthaaren. Bei Beinen und Achseln habe ich sie mittlerweile so weit, dass sie nicht mehr das ganze Haus zusammenschreien. Sobald ich mich der Bikinizone aber auch nur nähere, bekomme ich ein Wimmern zur Antwort, und nach dem ersten Ruck würde ich ihnen am liebsten den Mund mit Teppichklebeband zukleben. Und dann höre ich mich sagen: »Du hältst ja gar keine Schmerzen aus. Wie willst du es jemals schaffen, ein ganzes Kind zu gebären?« Als Dank für meine Mühen belohnen sie mich mit einem blöden Witz: »Warum sehen türkische Männer aus wie ihre Mütter?«, fragen sie mich. Und ich antworte: »Weil sie Schnurrbart tragen.« Ha, ha, sehr lustig.

Auch ich habe einen Damenbart, aber der kommt regelmäßig ab, und zwar ohne viel Geschrei. Dabei hantiere ich allerdings nicht mit Pinzette oder Wachs, sondern ich wende eine ganz spezielle Zupfmethode an. Ich verknote zwei Fadenenden zu einem runden Kreis, spanne ihn zwischen Daumen und Zeigefinger beider Hände und verdrehe ihn einmal, so dass der Faden in der Mitte überkreuz liegt. Nun schiebe ich dieses Fadenkreuz hin und her und bekomme so eine Art Schere, die ich dicht auf die Härchen legen und sie entgegen des Haarwuchses mit einem Ruck ausreißen kann. Der Vorteil gegenüber einer Pinzette ist, dass ich eine größere Hautfläche mit einem Mal enthaaren kann. Die Fadenschere erfasst auch die feinsten Härchen, ja sogar den Flaum. Es ist furchtbar schmerzhaft, aber auch sehr effizient.

Sobald bei mir irgendwo am Körper und im Gesicht auch nur das kleinste Haar sprießt, wird es sofort gezupft, gewachst oder sonstwie schmerzhaft entfernt. Besonders wichtig sind mir dabei die Augenbrauen. In der Türkei sagt man: »Die Augenbrauen einer Frau sind das Fenster ihres Gesichts.« Wenn ich Ablam besuche, steht sie bereits mit der Pinzette in der Tür, um meine Brauen zu korrigieren. Nicht selten begrüßt sie mich mit den Worten: »Du siehst ja aus wie Theo Waigel. Kein Wunder, dass du keinen Mann abkriegst.«

Einmal saß ich heulend bei einer deutschen Kosmetikerin, weil sie mir den Bogen meiner Augenbraue versaut hatte. »Wie können Sie es wagen, meinen Bogen zu ruinieren«, fauchte ich sie an. Ich wagte kaum mehr, in den Spiegel zu schauen, sah ich doch aus, wie viele der osteuropäischen Frauen, die sich ihre Brauen komplett abrasieren, um sie dann mit einem Augenbrauenstift schnurgerade wieder nachzumalen. Wochenlang traute ich mich nicht mehr aus dem Haus und zu wichtigen Terminen, malte ich mir die weggezupften Stellen nach.

Da ich aber ständig mit meinen Fingern am Kinn, über die Wangen oder an den Schläfen herumreibe, hatte ich schnell die schwarze Kohlefarbe im ganzen Gesicht verteilt und sah aus wie Roberto Blanco. Meine Schwester Fatma in der Türkei zuckt dazu nur mit den Achseln: »Warum gehst du auch zu den Helgas? Selbst schuld.«

Jedes halbe Jahr lasse ich mir nun in der Türkei meine Augenbrauen zu einem perfekten Bogen – der sich genau in der Brauenmitte schwungvoll nach oben öffnet – zupfen. Und wenn ich wieder in Deutschland bin, darf nur Ablam in Duisburg die nachgewachsenen Härchen entfernen. Manchmal frage ich mich, ob die Männer eigentlich bemerken, wie perfekt die Bögen meiner Augenbrauen sind?

Rasiert wird übrigens bei uns auf gar keinen Fall. Wieso auch, tut ja schließlich nicht weh. Manchmal, wenn sich ganz plötzlich ein Date ankündigt, rasiere ich meine Beine doch. Das darf Ablam aber niemals erfahren. Einmal habe ich es ihr gestanden, da schaute sie mich wie eine Hochverräterin an und zischte böse: »Du sollst nicht rasieren! Schau doch: Jetzt wachsen aus jeder Pore gleich zwei Haare.« Und als ich mich verteidigen wollte, ich hätte schließlich ein Date gehabt, sagte sie noch wütender: »Was hat der Mann beim ersten Date an deinen Beinen zu suchen?« Eigentlich hat sie Recht. Behaarte Beine sind das wirksamste Verhütungsmittel. Manchmal, wenn ich es mit dem Mann ernst meine, entferne ich absichtlich die Härchen vor der ersten Verabredung nicht, nur damit ich nicht in Versuchung gerate, ihn mit in meine Wohnung zu nehmen.

Auch das hilft nicht immer. Einmal küsste ich einen Mann leidenschaftlich im Auto, aber ich konnte den Kuss nicht wirklich genießen, weil ich ständig an den beklagenswerten Zustand meiner Beine denken musste. »Nein, Hatice, du kannst ihn nicht mit hochnehmen, auf gar keinen Fall«, beschwor ich mich.

Eine Stunde später gab ich dann doch auf. Ich werde mir von der Kosmetikindustrie nicht vorschreiben lassen, redete ich auf mich ein, wie ich auszusehen habe. Und ein Mann muss mich eben so lieben, wie ich bin, zumal Härchen auf den Beinen natürlich sind, und ich bin eine emanzipierte Frau und mein Bauch gehört mir, basta. Leider meldete sich der Mann nach dieser Nacht nie wieder.

In der Türkei gibt es an jeder Ecke »ağda salonu«, die Wachs-Salons. Hier geht es sehr hektisch zu. Man braucht keinen Termin, sondern geht einfach hin, zieht sich aus, stellt sich auf einen Stuhl, und in knapp zwanzig Minuten ist man von allen Härchen am Körper befreit. »Abla, dön«, sagen die meist sehr jungen Mädchen und meinen damit, dass man sich wie ein Döner um die eigene Achse drehen soll, damit sie das Wachs auftragen und mit den Härchen wieder abziehen können.

Irgendwann muss man sich als Frau entscheiden, ob man Kuh oder Ziege sein will. Damit meine ich das Gewicht einer Frau. In der Türkei sagt man, dass ein Gramm Fleisch tausend Makel verdeckt. Diese Art von Weisheit ist der Grund, dass türkische Frauen sich viel zu oft für die Kuh entscheiden. Bei mir sieht es so aus: Von meiner Mutter habe ich das gebärfreudige Becken. Und das hat mir bislang noch nicht viel gebracht. Dabei bin ich knapp einen Meter siebzig groß. Zugegeben, mit hohen Schuhen. Aber da ich immer, überall, jederzeit mindestens zehn Zentimeter unter meinen Füßen habe, bin ich quasi einen Meter siebzig. Meine wahre Körpergröße manifestiert sich demnach sowieso nur in der Horizontalen, und in dieser Position ist Größe nicht entscheidend.

Obenherum trage ich Körbchengröße C, und mein Hintern ist vergleichbar mit dem einer anatolischen Bergkuh. Wenn ich mich nach vorne beuge, könnte man auf ihm gut und gern ein Tablett mit sechs Teegläsern abstellen.

Vor einigen Wochen beschwerte ich mich bei meiner Mutter, dass ich das Gefühl habe, immer dicker zu werden, ohne wirklich mehr zu essen. Meine Mutter sagte, das seien die türkischen Gene. Ich bin mir aber ziemlich sicher, dass es die Böreks sind, feine Teigtaschen gefüllt mit Schafskäse, Spinat und Hackfleisch. Um mich zu beruhigen, fügte sie hinzu, dass ich mir keine Sorgen machen müsse, schließlich gebe es in unserer gesamten Verwandtschaft keinen einzigen Dicken.

Mein Vater, der das Gespräch mitbekam, runzelte die Stirn und sagte: »Meine Schöne, und was ist mit dir?« Meine Mutter holte tief Luft, und auch wenn sie meinem Vater schlecht sagen konnte, dass sie ihn neun Monate in ihrem Bauch getragen und ihm die Brust gegeben habe, musste mein Vater dennoch all seinen Charme einsetzen, um sie wieder aus der Sofaecke zu locken. Und die Böreks konnte man an diesem Tag auch vergessen.

»Yemeğin salçalısı, kadının kalçalısı« (Was Tomatenmark für das Essen, ist die Hüfte für die Frau), muss ich mir immer wieder von Fatma anhören, wenn ich voller Neid auf ihre Figur starre. Es ist unfair, dass sie versucht, mich mit einem so blöden Spruch zu trösten. Sie kann schließlich um ihre Hüften ein Gästehandtuch wickeln, wohingegen ich eine Badedecke benötige. Ihr Busen sieht aus wie gemeißelt und sitzt genau an der Stelle, wo er auch hingehört, sie hat hohe Wangenknochen, und wie kann es überhaupt sein, dass jemand noch größere Augen hat als ich, wo ich doch schon von meinen Freunden Bambi genannt werde? Mit diesem Aussehen ist es natürlich sehr einfach zu sagen, dass es bei einem guten

Essen auf die Würze und bei einer guten Frau auf die Hüften ankommt.

Vor einiger Zeit besuchte mich Fatma das erste Mal in Berlin. Ich kündigte ihren Besuch bei meinen Freunden an, und das Einzige, was meine männlichen Freunde über sie wissen wollten, war, ob sie so weiblich sei wie ich. Ich sagte ihnen, dass sie sogar noch weiblicher sei, was auch stimmt. Sie ist die Lieblingstochter meines Vaters, weil sie nicht nur gut aussieht, sondern auch eine bezaubernde Ausstrahlung hat. Früher nutzte sie das oft aus, um etwas zu bekommen. Heute ist Fatma über dreißig und denkt immer noch, dass sie mit ihrem anmutigen Gesicht und ihrem süßen Hintern alles erreicht. Bevor meine Freunde sie zum ersten Mal trafen, sagten sie: »Weiblicher als du, das geht ja gar nicht.« Nach dem ersten Treffen flüsterten sie mir ins Ohr: »Du hattest Recht, sie ist tatsächlich weiblicher – und schön wie ein Prinzessin.«

Vor ein paar Wochen lud ich Fatma ein weiteres Mal nach Berlin ein zu einer großen Geburtstagsparty, die ich geben wollte. Ich warnte sie am Telefon allerdings, dass sie nur kommen dürfe, wenn sie sich an diesem Abend ein wenig zurücknehme, vor allem aber nicht besser aussehe als ich, schließlich sei es mein großer Tag. »Warte mal, ich muss ins Schlafzimmer«, entgegnete sie nur. Ich hörte, wie sie mit dem schnurlosen Telefon durch das Haus lief, plötzlich stehen blieb und sagte: »So, jetzt stehe ich vor dem Spiegel. Oh, das wird schwer!«

Für meine deutschen Freunde ist meine Erscheinung schon schillernd, und sie wundern sich oft, dass ich selbst zu beruflichen Terminen mit großen Ohrringen, tiefem Ausschnitt, hohen Schuhen und Rock erscheine. Sie sagen: »Also, ich würde mich nicht wohl fühlen in diesen unpraktischen Klamotten«, und insgeheim unterstellen sie mir, ich würde meine »Rolle als Frau« ausnützen für berufliche Zwecke.

Diesen Gedanken gibt es in der Türkei nicht. Und schon gar nicht denkt Fatma so. Eine Frau ist nicht nur eine Frau, sondern eine Dame. Und das ist sie immer, Punkt. Wie soll man etwas instrumentalisieren, was man ohnehin verkörpert, was man also gar nicht ablegen kann? So freue ich mich auf meinen nächsten Besuch in der Türkei, mache mich schön, lasse mir die Augenbrauen zupfen, mich enthaaren und ziehe mein schönstes Kleid an. Meine türkischen Freundinnen begrüßen mich in bezaubernder Eleganz, fragen mich: »Na, hast du endlich einen Hans gefunden?«, und lächeln leise, während sie mir zuraunen: »Du könntest auch mal wieder was für dein Äußeres tun.«

8 *Das religiöse Erlebnis*

Es gibt Dinge, die sich nicht nur im Kopf abspielen. Wie die Liebe, Religion oder – die Hingabe zu Schuhen. Schuhe haben eine große Bedeutung in meinem Leben, doch bis dahin war es ein weiter Weg. Niemals hätte meine Mutter uns Kindern erlaubt, mit Schuhen das Haus zu betreten. Noch heute bücke ich mich manchmal instinktiv vor der Haustür meiner deutschen Freunde und sage: »Ich kann die Schuhe auch ausziehen.« Es hat mich Jahre gekostet, diese türkische Angewohnheit abzulegen.

Als Kind hüpfte ich, wenn ich etwas im Haus vergessen hatte, auf den Spitzen meiner Schuhe durch das Zimmer, um es zu holen. Sah meine Mutter mich und schrie hysterisch: »Nicht mit den Schuhen!«, warf ich mich auf den Boden, nahm das, was ich vergessen hatte, zwischen die Zähne, hob meine Füße in die Luft und krabbelte auf Händen und Knien hinaus. Mit Schuhen unser Haus zu betreten war so verboten wie Schweinefleisch auf dem Grill meines Vaters. Wobei Allah uns das Schweinefleisch wahrscheinlich verziehen hätte, meine Mutter aber niemals die Straßenschuhe auf ihrem Teppich.

Das Verständnis meiner Eltern von Schuhen besteht darin, dass sie einen Zweck erfüllen müssen. Schuhe schützen Füße vor Kälte und Schmutz, geben beim Arbeiten einen guten Halt, und man kommt mit ihnen schnell voran. Diese Einstellung hat sich zumindest bei meinem Vater nicht geändert, seit er damals im Dorf seine knöchelhohen Rindslederschuhe auszog, sich ein neues Paar vom Dorfschuster anfertigen ließ, an die Füße zog und nach Deutschland kam. Auch meine Mutter ist von ihrem zweckmäßigen Schuhwerk mit dicker Gummisohle nicht abzubringen. Nie käme sie auf den Gedanken, Schuhe als modisches Accessoire zu betrachten.

Bei mir ist das zum Glück ganz anders. Schuhe sind meine Religion. Es ist schon ein paar Jahre her, da machte ich meine spirituelle Erweckungserfahrung. Sie standen einfach da, nobel präsentiert in einem großen Regal: dünne goldene Lederriemen und ein schmaler Absatz, auf dem der Schuh knapp zehn Zentimeter über den Boden schwebte. Ich befand mich in einem Schuhgeschäft in New York, aber nicht in irgendeinem. Und was ich erblickte, waren die ersten Manolo Blahniks meines Lebens. Ihr Zauber raubte mir den Atem, mich überkam ein Gefühl von Ehrfurcht und Anbetung, ich sank innerlich auf die Knie. Sie wissen nicht, was Manolo Blahniks sind? Ich erzähle es Ihnen gerne. Es gibt Schuhe, und es gibt Manolos. Manolos sind nicht nur eine Marke, sie sind Kunstwerke, sie sind Gesten, sie sind zauberhaft, sexy und unbeschreiblich glamourös. Manolos sind Huldigungen an den Fuß einer Frau. Ihrem Meister, Manolo Blahnik, wurden Sonne und südliche Leidenschaftlichkeit in die Wiege gelegt. Seine Mutter ist Spanierin, er ist auf den Kanarischen Inseln geboren, und seine anbetungswürdigen Schuhe sehen aus, als seien sie Gemälden von Velásques oder Zubarán entsprungen. Schon seit Jahrzehnten sind sie seinen Verehrerinnen bekannt, doch besonderen Ruhm haben sie in den letzten Jahren durch die Fernsehserie »Sex and the City« erlangt.

Während ich die ersten Manolos meines Lebens betrachtete, stellte ich mir vor, mit wie viel Geduld und Feingefühl der

Schuhmacher das Leder bearbeitet haben musste, um dieses Paar Schuhe anzufertigen. Dass jedes Paar Handarbeit ist, versteht sich von selbst. Manolo Blahniks strahlen einen Hauch von Ewigkeit aus, und mich überkam ein unbeschreibliches Gefühl, als ich sie mir an meinen Füßen vorstellte. Schuhe erfüllten für mich das erste Mal einen anderen Zweck, als mich schmerzfrei von einem Ort zum anderen zu befördern. Ich musste sofort ein Paar davon haben.

Ich bezahlte die Manolos damals mit meiner Kreditkarte, weil mein Girokonto niemals eine solche Summe gedeckt hätte. Und noch Monate später ging ich für dieses eine Paar Schuhe kellnern. Ich besitze sie bis heute, sie stehen in meinem Bücherregal zwischen der gebundenen Ausgabe von »Der Herr der Ringe« und den gesammelten Werken von Kafka. Wenn ich sie mir anschaue, sehe ich mich auf ihnen in einem Sommerkleid über die Fifth Avenue balancieren, ich höre das klickende Geräusch, das die Absätze auf dem Asphalt machten. Es ist ein Bild und ein Gefühl, das ich jederzeit mit einem einzigen Blick auf diese Schuhe in mein Gedächtnis zurückrufen kann.

Ich trage meine Manolos nicht nur zu besonderen Anlässen, sondern immer, wenn ich gerade Lust auf sie verspüre. Manchmal kommt sie ganz plötzlich, die Lust. Dann schlüpfe ich in die Schuhe hinein, spüre das feine Leder auf meiner Haut, die dünnen Sohlen unter meinen Füßen und stolziere auf ihnen durch die Wohnung. Das Einzige, was ich dann anhabe, sind die goldenen Fesselriemchen-Schuhe und das Radio. Und ich bete sie an, genau wie alle anderen Schuhe auch, weil sie mich in eine andere Zeit versetzen, weil sie mich glücklich machen, weil sie Geschichten erzählen können.

Für meine Eltern sind Schuhe wie gesagt notwendige Gebrauchsgegenstände, die mit Schmutz und Unreinheit zu tun haben. Die Liebe zu ihnen ist mir also nicht in die Wiege gelegt worden. Es scheint, dass ich mich irgendwo zwischen der Ablösung vom Elternhaus und meinem ersten Paar High Heels auch von der heimischen Schuhphilosophie getrennt haben muss.

Und ich will klarstellen, dass ich Schuhe mit Absätzen nicht erst seit der Fernsehserie »Sex and the City« vergöttere. Ich besaß schon Manolos, als Carrie Bradshaw und Don Johnson die Welt auf Espandrillos eroberten.

Nein, High Heels haben mich schon immer fasziniert, denn für mich repräsentieren sie Furchtlosigkeit und Durchhaltevermögen. Mein Freund Sascha ist der Überzeugung, dass nur wahre Frauen keine Angst vor Fesselriemchen-Sandalen mit zehn Zentimeter Absatz haben. Läuft man in ihnen aufrecht und sicher, strahlt man Selbstbewusstsein aus, stolpert man oder schwankt unsicher hin und her, gibt man als Frau ein sehr armseliges Bild ab. High Heels erfordern Mut und Entschlossenheit, und sie sind eine ganz neue Art von Frauenbewegung, die auf zehn Zentimeter hohen Absätzen daherkommt. Vielleicht finde ich High Heels so sexy, weil sie eine unwiderstehliche Mischung aus Risiko, Tollkühnheit und Eleganz darstellen.

Deshalb kann ich auch nicht verstehen, warum viele Frauen auf sie verzichten, nur weil sie möglicherweise unbequem sind. Für meinen Vater ist ein Essen ohne Fleisch kein Essen, und ich halte nichts von Schuhen mit weniger als zehn Zentimeter Absatzhöhe. Alle darunter fallen für mich in die Kategorie Birkenstock. Sobald ich High Heels an den Füßen habe, gehen meine Schultern in die Höhe, mein Bauch zieht sich zurück, und wenn ich auf ihnen laufe, sehe ich endlich einmal nicht aus wie ein volltrunkener Cowboy, der aus dem Saloon schwankt. Es gibt einen Trick, sich sicher und trotzdem elegant auf ihnen

zu bewegen. Man muss nur den einseitigen Sambaschritt be-
herrschen: Sobald man mit dem rechten Fuß einen Schritt
macht, zieht man die linke Hüfte einfach hoch.

High Heels sind ein Phänomen. Sie zaubern in Sekundenschnelle ein paar Kilo weg und machen jede Frau betörend –
vorausgesetzt, man beherrscht besagten Sambaschritt. Mit
High Heels fühlt man sich sexy, ohne eine Sexbombe zu sein.
Sie sind gemacht für jene Frauen, die den Street-Look abgelegt haben und ihr Selbstbewusstsein mit Eleganz mischen.
»Shoes are like having sex. High Heels are like making love«,
sagte damals der New Yorker Schuhverkäufer, in dessen Schuhgeschäft ich mein religiöses Erlebnis hatte, und ich finde, er hat
Recht.

In meinem Wohnzimmer habe ich ein fünfstöckiges Glasre-
gal, auf dem dreißig Paar meiner schönsten High Heels stehen.
Mein Schuhregal ist mein Hausaltar. Seltsamerweise bleiben
viel häufiger Männer als Frauen davor stehen. Sie streichen
unauffällig mit den Fingerspitzen über die Schuhe, bewundern die Vielfalt der Farben und Formen. Sascha sagt, dass
mein Schuhtick nicht ausgeprägt, sondern krankhaft sei. Er
würde niemanden kennen, der seine komplette Altersvorsorge
in Schuhe investiere. Er prophezeit mir, dass ich als alte Frau
in meinen Schuhen schlafen müsse, wenn ich nicht aufhörte,
drei Paar Schuhe in einer Woche zu kaufen.

Vor drei Jahren besaß ich hundert Paar Schuhe. Aus Lang-
weile zählte ich sie einmal an einem Sonntagnachmittag beim
Abstauben durch. Mir wurde ein wenig mulmig. Als ich im
Kopf die Anzahl meiner Schuhe mit ihrem Durchschnittspreis
multiplizierte, kam ich auf den Preis eines Mittelklassewagens.
Zuerst war ich mir nicht sicher, ob ich mich nicht doch ver-
rechnet hatte, und nahm zur Sicherheit einen Taschenrechner
zur Hilfe. Aber ich hatte mich nicht geirrt. Statt der vielen High

Heels hätte ich mir eine Kreuzfahrt auf der »Queen Mary« rund um die Welt und über alle sieben Weltmeere leisten können. Seit jenem Tag kaufe ich weiterhin fleißig Schuhe, aber ich zähle nicht mehr nach.

Wenn meine Mutter wüsste, dass ich so viel Geld für Schuhe ausgebe, würde sie mich erst halb tot schlagen und dann für immer verstoßen. Nie werde ich meine Eltern für meine neue Religion gewinnen können. Solche Posaunen müssen erst noch erfunden werden. Früher warf ich mich in der Moschee zum Gebet nieder. Heute bete ich kaum mehr, aber es kann durchaus vorkommen, dass man mich trotzdem in gebückter Haltung antrifft – in einem Schuhgeschäft, wenn ich gerade die Riemchen meiner neuen Schuhe schließe.

Wenn ich meinen Eltern auch nicht von meiner Leidenschaft für schöne Schuhe erzählen kann, bei meiner Schwester Fatma stoße ich damit durchaus auf positive Resonanz. Sie zieht ihre Manolo Blahnik Satin Mules nicht einmal beim Staubsaugen aus. Ganz im Gegensatz zu Ablam, die von derlei Extravaganzen nichts wissen will. Vor einiger Zeit besuchte mich meine Nichte während ihrer Ferien in Berlin. Sie war gerade achtzehn geworden, und wir zogen ein paar Tage durch das Berliner Nachtleben. Eines Abends lieh ich ihr ein Paar meiner High Heels, und sie trug sie voller Stolz. Nachdem sie wieder abgereist war, rief Ablam mich wütend an und beschimpfte mich, ich hätte ihre Tochter in die Sucht getrieben. Sie schwärme seit ihrem Berlin-Besuch ständig von ihrer neuen Droge – von Schuhen.

9 *Vier Hochzeiten und ein Blaues Auge*

Als ich Anfang zwanzig war, sagte mein Vater zu mir: »Du brauchst endlich einen Ehemann. Mir ist egal wer, Hauptsache er ist Türke und Muslim.« Er sagte es nicht direkt mit diesen Worten, aber er meinte es so. Wenn mein Vater fragt, ob ich mich nicht einsam fühle, meint er, ich soll endlich heiraten. Wenn er sagt, dass es für Deutsche schwer sei, unsere Religion und Kultur zu verstehen, meint er, mir kommt nur ein türkischer Muslim ins Haus. Das ist die so genannte Vatersprache. Ich verstehe meinen Vater sehr gut in seiner Sprache.

Wir waren gerade in seinem neuen Mercedes unterwegs. Seltsamerweise fahren wir immer im Auto, wenn wir wichtige Themen besprechen. Wenn meine Mutter sagt: »Fahrt ihr beiden doch schon mal vor, wir kommen mit deinem Bruder nach«, dann weiß ich, dass es wieder Zeit ist für ein Heiratsgespräch. Mein Vater fängt das Gespräch immer an, indem er mich so beiläufig wie möglich fragt: »Wie alt bist du jetzt?«, und dabei auf die Straße schaut. Natürlich weiß er, wie alt ich bin, und natürlich ist es nur eine rhetorische Frage. Dennoch antworte ich immer ernsthaft und nenne mein jeweiliges Alter, als wüsste ich nicht, warum er mich das fragt.

Neulich erinnerte ich mich wieder an diese Vater-Tochter-Gespräche, als meine Freundin Julia wissen wollte, ob ich eigentlich auch zwangsverheiratet werden sollte. Ich war ein wenig überrascht. Weniger darüber, dass sie mir diese Frage stellte, sondern vielmehr, weil sie mich das nach so vielen Jahren Freundschaft fragte. »Ja, für vier Kamele und einen Traktor, aber es gab damals in Zentralanatolien keine Kamele, und den Traktor wollte die Familie auch nicht rausrücken, weil der in die Braut des älteren Sohnes investiert werden sollte, so dass ich noch mal drum rumkam, aber ein starkes Trauma davontrug und ein Ehemann aus der Landwirtschaft nun für mich nicht mehr in Frage kommt.« Julia schaute mich schockiert an, ich genoss ihre Verblüffung ein wenig. Dann lenkte ich ein: »Das war ein Scherz.«

Ich muss zugeben, dass ich mir heute manchmal wünsche, mein Vater hätte mich irgendwann zwangsverheiratet. Das hätte mir viel lästiges Suchen, zahllose Hoffnungen und ebenso viele Enttäuschungen erspart. Und ich wäre, ohne viel Zeit zu verschwenden, zu einem Ehemann gekommen.

Dabei habe ich tatsächlich eine wertvolle Mitgift, einen deutschen Pass. »Wie kannst du so herzlos sein und deine Identität aufgeben?«, hatte mein Vater damals geschimpft, nachdem ich ihn beantragt hatte, und war wütend durch das Wohnzimmer gestapft. Ich versuchte ihm zu erklären, dass ich doch sowieso den Rest meines Lebens in Deutschland leben würde, dass es leichter für mich sei, Arbeit zu finden und dass ich mich dann mit meiner Wählerstimme für die SPD stark machen könne, die einzige Partei, die das Zusammenführen türkischer Großfamilien unterstütze. Doch er ließ sich nicht überzeugen. Ich hatte nur eine Chance, die Situation noch zu retten: »Außerdem ist es doch egal, was auf einem Stück Papier steht, schließlich fließt dein Blut in meinen Adern, und meine Seele bleibt immer türkisch«, versuchte ich, ihn zu besänftigen. Dass Deutschland meine Heimat ist, das Land, das ich liebe und in dem ich hoffentlich einmal heirate, brachte ich vorsichtshalber nicht zur Sprache.

»Ich spreche erst mit dir, wenn du wieder Türkin bist«, sagte er beleidigt, marschierte in den Garten und feuerte den Grill an. Beim Essen ignorierte er mich. Nur einmal sagte er zu meiner Mutter gewandt: »Könnte deine *deutsche* Tochter mir mal das Salz rüberreichen.«

»Kızım«, flüsterte mir meine Mutter später ins Ohr, was so viel bedeutet wie meine Tochter. »Ich rede mit ihm, er wird sich wieder beruhigen.«

Ein paar Wochen später, ich war längst wieder in meine Studentenbude gefahren, klingelte das Telefon. Es war mein Vater: »Ich habe nachgedacht«, sagte er mit erstaunlich ruhiger Stimme.

»Ach, ja?«

Es entstand eine kurze Pause.

»Wie lange dauert die Bearbeitung?«

»Ein Jahr.«

»Das ist sehr lang.«

»Es ist besser geworden, früher musste man drei Jahre warten.«

»Besorgst du uns die Unterlagen?«

»Ja.« Ich lächelte und legte auf.

Zwölf Monate später saß ich mit dem Rest meiner Familie im Duisburger Rathaus, wo man uns bei einer offiziellen Feier die Einbürgerungs-Urkunden inklusive eines Gutscheins für eine Stadtrundfahrt überreichte. Als mein Vater aufgerufen wurde, atmete er tief ein, erhob sich und nahm mit geschwellter Brust die Urkunde entgegen. Als er zurück zu seinem Platz stolzierte, leuchteten seine grünen Augen kampfeslustig. »Warum bekomme ich einen Gutschein für eine Stadtrundfahrt durch Duisburg?«, fragte er betont unwirsch in die Runde.

»Ich lebe seit über dreißig Jahren hier und kenne jeden Winkel dieser Stadt. Warum kriege ich keinen Gutschein für den Schwarzwald? Dort war ich noch nie.« Er faltete die Urkunde vier Mal zusammen und steckte sie in seine Hemdtasche.

Trotz des deutschen Passes war ich für meinen Vater von seinen vier Töchtern diejenige, die am schwierigsten an einen potenziellen Ehemann zu vermitteln war. Nicht, dass ich zu dünn war oder keine Kinder kriegen konnte, nein, wegen meines störrischen Wesens. Nur ein einziges Mal wurde bei ihm um meine Hand angehalten. Danach traute sich keine Familie mehr in unser Haus.

Bei meinen Freundinnen gaben sich damals die Brautwerber die Klinke in die Hand, das hat mich ein wenig eifersüchtig gemacht. Doch das war nichts gegen die Sorgen, die ich meinen Eltern bereitete. Meine älteste Schwester behauptet gerne, mein Vater habe heute noch nicht die Schmach vergessen, die ich über ihn gebracht hätte.

Nie werde ich diesen schwärzesten aller Tage vergessen. Dabei war es ein Sonntag, und in dem Dorf an der türkischen Ägäis, in dem sich meine Eltern ein Ferienhaus gekauft hatten, schien die Sonne. Der Himmel war blau, die Möwen kreisten hungrig über meinen Kopf, und ich trank gerade türkischen Tee aus einem Kaffee-Mug. Ich hasse diese dünnen, mit billigem Goldimitat verschnörkelten, aber wegen ihrer Authentizität so geliebten Teegläser, weil ich mir immer die Finger verbrenne. Ich trank also meinen authentischen Tee aus einem Kaffeebecher mit der Aufschrift »I love NY«, aß Sesamkringel und Schafskäse und schaute meiner Mutter beim Ernten der Strauchtomaten zu.

Dazu muss man wissen, dass meine Mutter nicht nur pausenlos damit beschäftigt ist, etwas Essbares zuzubereiten, sondern auch anzupflanzen oder zu ernten. Es ist ihr egal, in welcher Klimaregion sie sich gerade befindet. In Duisburg verwandelte sie den über Jahre liebevoll gehegten Rosengarten unseres Vormieters in nur einer Saison zu einem südostanatolischen Gemüsefeld mit Stangenbohnen, Gurken, Möhren, Paprika, Petersilie und Kürbissen. In ihrem Garten hier in der Türkei zog sie, dank des wunderbaren Klimas, zusätzlich Auberginen, Zucchini und eben jene Tomaten.

Während sie die blutroten Früchte von den Stauden zupfte, kam mein Vater hinzu, flüsterte ihr aufgeregt etwas ins Ohr und verschwand wieder. Meine Mutter unterbrach ihr emsiges Tun, setzte sich zu mir und sagte: »Kızım, wir werden gleich Besuch von einer verwandten Familie bekommen. Ich würde mich freuen, wenn du dich wäschst und dir ein schönes Kleid anziehst. Sie bringen ihren Sohn Ismail mit, der sehr gut zu dir passen würde, wie ich und dein Vater finden.«

Ich schaute meine Mutter an und sagte: »Seid ihr bekloppt? Ich heirate doch keinen Mann, den ich nicht kenne.«

»Schau ihn dir doch wenigstens mal an«, flehte sie. Schließlich hätte ich nach der Verlobung noch genug Zeit, ihn näher kennen zu lernen. Er werde mir auch bestimmt gefallen, da sei sie sich ganz sicher, und wenn nicht, versprach sie, dann würde sie ihn wieder nach Hause schicken.

Zu diesem Zeitpunkt wohnte ich seit einigen Jahren schon nicht mehr zu Hause und hatte bereits intensive Erfahrungen mit Alkohol, Drogen und Männern gesammelt. Von den ersten zehn Tequilas meines Lebens bekam ich eine Alkoholvergiftung und musste mir den Magen auspumpen lassen. Mein erster Joint war fast so dick wie eine Cohiba und schuld daran, dass ich nach seinem Genuss auf dem Schotterparkplatz einer Diskothek im Ruhrgebiet lag und schrie: »Bringt mich sofort ins Krankenhaus, ich sterbe!«

Seitdem habe ich nie wieder Tequila oder auch nur einen Joint angerührt. Ähnlich katastrophal ging es mit meinem ersten Mann aus, aber ich kann ja die Finger nicht davon lassen. Vermutlich ahnte ich schon damals, dass das Kapitel Männer in meinem Leben nicht mit einer simplen Heirat abgetan sein würde. Natürlich wusste meine Mutter nichts von alledem, aber ich frage mich bis heute: Warum hat Ismail damals nicht einfach angerufen und mit mir ein Date vereinbart?

Mein Vater hatte von Anfang an große Bedenken. »Meine Tochter ist stur wie ein Esel. Sie wird ihn mit einem Tritt nach Hause schicken«, warnte er. Aber meine Mutter wollte mich noch nicht aufgeben. Sie hoffte, dass ein Wunder geschehen und ihre Tochter sich tatsächlich Hals über Kopf in einen Mann verlieben würde, den sie noch nie zuvor in ihrem Leben gesehen hatte. Auch wenn mir das Ganze völlig unsinnig erschien – bevor meine Mutter wieder wochenlang nicht mit mir sprechen würde, tat ich ihr lieber den Gefallen. Es konnte mir ja schließlich nichts passieren. Außerdem war ich auch ein bisschen neugierig. So würde also sogar ich in den Genuss eines echten »görücü« kommen, was so viel heißt wie »sich dem Brautwerber zeigen«.

Ich zog mein schönstes Kleid an und wartete in der Küche des Ferienhauses auf meinen zukünftigen Ehemann. Ismail kam mit seinen Eltern und einer Tante, die mich irgendwann einmal bei einer Nachbarin gesehen und ihm von mir erzählt hatte. In traditionellen Familien ist so etwas üblich: Verwandte, Bekannte und Nachbarn halten Ausschau nach einer geeigneten Heiratskandidatin und helfen bei der Suche. Ohne es zu ahnen, war ich damals in der Verwandtschaft die begehrteste Junggesellin weit und breit. Ich stand zwar im Ruf, schwierig zu sein, und wurde von den vier Töchtern meines Vaters auch nur als Dritthübscheste eingestuft (meine jüngste Schwester Elif war damals noch nicht im Heiratsalter und zählte nicht), aber das störte Ismails Familie nicht, denn meine Mitgift war für in der Türkei lebende Türken unbezahlbar: Der Mann, der mich heiratete, würde anstandslos eine deutsche Arbeits- und Aufenthaltserlaubnis erhalten.

Plötzlich saß also eine Familie bei uns auf dem Sofa, die ich noch nie gesehen hatte und die dreihundert Kilometer gefahren war, um mich als zukünftige Ehefrau für ihren Sohn in Augenschein zu nehmen. Ich machte mich erst einmal in der Küche über die ganze Sache lustig, und mein Bruder Mehmet bemerkte nur: »Der arme Mann, wenn der wüsste, wen er heiraten will!«

Irgendwie tat Ismail mir ja auch Leid. Ich beobachtete durch den Türspalt, wie er dasaß und die ganze Zeit kein einziges Wort sagte. Jeder in der Runde wusste, warum sie gekommen waren, aber niemand sprach das Thema an. Erst geraume Zeit später brachte Ismails Vater sein Anliegen endlich vor: »Allahın emriyle, Peygamberin kavliyle (Auf Befehl Allahs und auf Verordnung seines Propheten Mohammed) wünschen wir uns deine Tochter Hatice für unseren Sohn Ismail zur Ehefrau.«

Ich sah, wie mein Vater sehr überrascht tat. Er trank ganz langsam einen Schluck aus seiner Tasse und sagte: »Ich habe eine wunderschöne und kluge Tochter. Sie studiert an der Universität und besitzt seit kurzem sogar einen deutschen Pass. Sie sind nicht die erste Familie, die um die Hand meiner Tochter anhält.« Doktoren und Ingenieure hätten schon auf seinem Sofa gesessen, und niemand sei gut genug gewesen. (Das stimmte zwar nicht, aber manchmal hilft mein Vater der Realität etwas nach). Er gebe mich nur sehr ungern her, weil ich von seinen vier Töchtern das Lieblingsmädchen sei. (Auch das hatte ich von meinem Vater noch nie zuvor gehört).

»Ich werde mit meiner Tochter sprechen«, versprach er der Familie.

Nun war die Zeit für meinen Auftritt gekommen. »Könntest du uns den Mokka bringen?«, fragte meine Mutter, die zu mir in die Küche gekommen war. »Und wenn du ihn hineinträgst, schau nicht auf die Tassen, sondern fixiere einen Punkt an der Wand. Stell erst dem Besuch die Tassen hin, dann deinem Vater und mir, und gehe anschließend gleich wieder zurück in die Küche«, befahl sie. Mein Vater werde alles Weitere mit mir besprechen, wenn die Familie gegangen sei.

Mich beschlich ein mulmiges Gefühl. Ich hatte mich über die Situation lustig gemacht, aber während ich den Mokka kochte, bekam ich es plötzlich mit der Angst zu tun. Ich erkannte, dass dies nur für mich ein Spaß war, aber sowohl meinen Eltern als auch Ismail und seiner Familie war es bitterernst. Als Lösung meines Dilemmas fiel mir nichts Besseres ein, als Ismail direkt anzusprechen. Vielleicht würde dies Grund genug sein, die Situation zum Eskalieren zu bringen?

Ich beschloss, erst einmal folgsam zu sein, den Mokka zu servieren und meinen Plan für einen späteren Zeitpunkt aufzuheben. Schließlich wollte ich niemanden vor den Kopf stoßen, am wenigsten meinen Vater. Ich ging mit dem Tablett ins Wohnzimmer und stellte Ismail die Tasse hin. Aber aus meinem mulmigen Gefühl wurde plötzlich Wut: Was bildeten diese Menschen sich ein, einfach hierher zu kommen und um meine Hand anzuhalten, ohne mich zu kennen? Die ganze Situation kam mir absurd vor, und bevor ich wieder klar denken konnte, sprudelte es aus mir heraus: »Ich hoffe, es schmeckt, Fremder!«

Meine Eltern waren schockiert, Ismails Eltern waren es noch mehr und mein zukünftiger Mann schaute beschämt und hilflos zu seinem Vater. Meinem Vater war mein Auftritt natürlich sehr peinlich. Er reagierte schnell, weil er ahnte, dass ich noch nicht fertig war, und sagte, um die Situation zu retten: »Das ist meine Tochter Hatice. Wenn Sie möchten, können Sie sie gleich selbst fragen.«

Eine Sekunde lang war ich über meine Entgleisung ebenso erschrocken wie meine Eltern, doch dann empfand ich auf einmal große Freude, gegen die Regeln verstoßen zu haben. Es war ein Aufstand, mein persönlicher Triumph, und ich dachte an die türkischen Mädchen, die gegen ihren Willen verheiratet wurden, weil sie nicht den Mut hatten, sich gegen die Traditionen aufzulehnen.

Ismail schaute nach rechts und schaute nach links. Schließlich brach seine Mutter das Schweigen: »Kızım, du bist sehr hübsch«, sagte sie. Und Ismails Vater fügte hinzu: »Es ist ein wenig ungewöhnlich, dich direkt zu fragen, aber wir glauben, dass du und unser Sohn Ismail sehr gut zusammenpassen würden.«

Ich setzte mich auf die Couch, wandte mich zu Ismail und fragte: »Warum willst du mich heiraten?«

»Weil wir gut zusammenpassen«, antwortete er unsicher.

»Du kennst mich doch gar nicht.«

»Ich trage ein Foto von dir in meiner Tasche.«

»Du wirst nicht glücklich mit mir, heirate lieber eine Frau, die dir das Leben nicht zur Hölle macht«, sagte ich entschieden, stand auf und ging zurück in die Küche.

»Stur wie ein Esel.« Mein Vater warf meiner Mutter einen vorwurfsvollen Blick zu. Zu Ismails Eltern sagte er: »Verzeihen Sie, aber wenn es nach mir gegangen wäre, hätten Sie sie sofort mitnehmen können.« Kurz darauf verabschiedete sich Ismails Familie hastig und ging. Ich habe sie nie wieder gesehen.

Meine Schwester Fatma hasste mich damals dafür, dass ich immer noch nicht verlobt war. Sie hatte ihre große Liebe bereits ein Jahr zuvor in einem Café in der Türkei kennen gelernt.

»Nur über meine Leiche wird sich meine jüngere Tochter vor meiner älteren Tochter verloben«, sagte mein Vater wütend, als Fatma ihn zu überreden versuchte. »Bitte, du musst eine Ausnahme machen, oder soll ich heiraten, wenn ich eine alte Schachtel bin?«, jammerte sie. Fatma glaubte seit meinem Auftritt vor Ismails Familie, der sich übrigens sehr schnell herumgesprochen hatte, nicht mehr daran, dass jemals wieder ein Mann um meine Hand anhalten würde. Jeder Tag, der vorüberging, ohne dass ich ein Heiratsversprechen abgab, bedeutete für meine arme Schwester, länger auf ihre Hochzeit warten zu müssen.

Über ein halbes Jahr war es schon her, dass die Familie ihres Freundes bei meinem Vater um ihre Hand angehalten hatte. »Dünürcülük« heißt das auf Türkisch. An ihrem Brautwerbetag war alles glatt gelaufen. Meine Eltern, ihr Freund Ramazan und dessen Eltern saßen im Wohnzimmer, plauderten über dies und das, und während der ersten Stunde fiel nicht einmal der Name meiner Schwester. Ich drückte mein Ohr an die Tür des Wohnzimmers und versuchte zu hören, was drinnen besprochen wurde. Ab und zu zog ich Fatma auf: »Oh, oh, das hört sich nicht gut an, es gibt Probleme, die wollen nicht so viel für dich bezahlen.«

»Ach, sei ruhig, das ist doch kein Ochsenhandel!«, schrie sie mich an und lief hektisch mit einem Tablett umher, auf dem sie probeweise fünf leere Mokkatassen balancierte.

Nach einer geschlagenen Stunde kam meine Mutter endlich in die Küche. »So, jetzt kannst du uns den Mokka servieren«, befahl sie. Mit einem Satz sprang Fatma an den Gasherd, zündete ihn an und stellte den »cezve«, den Zubereitungstopf für Mokka, auf die Flammen. Nachdem sie die Tassen gefüllt hatte, bemerkte sie, dass sie den schwarzen Kaffee vor Aufregung mit Salz gekocht hatte.

Dazu muss man wissen, dass ein mit Salz gekochter Mokka eine höfliche Methode ist, dem Brautwerber wortlos, aber unmissverständlich klar zu machen, dass man ihn nicht heiraten möchte und er bitte sofort samt seiner Sippe verschwinden möge. Außer ihm bekommt davon keiner etwas mit, und die empfindliche anatolische Ehre wird nicht unnötig verletzt. Später kann der Mann seinen Eltern erklären, dass er es sich anders überlegt habe. Ähnlich funktioniert es, wenn man dem Brautwerber diskret Wasser in die Schuhe gießt. Die türkische Angewohnheit, vor Betreten des Hauses selbstverständlich das Schuhwerk abzustreifen, ist dabei durchaus von Vorteil.

Eilig kochte Fatma neuen Mokka und passte gleichzeitig genau auf, dass ich mich nicht in der Nähe der Schuhe aufhielt. Nachdem der Besuch sich verabschiedet hatte, ging mein Vater mit ihr eine Runde um das Haus, um ihr Einverständnis zu bekommen. Sie sagte natürlich sofort ja. Am nächsten Tag ließ meine Mutter über eine Nachbarin wiederum ihren Besuch bei der Familie des Bräutigams ankündigen. Das ist so üblich, damit die Familien besprechen können, ob beide Seiten mit dem Versprechen einverstanden sind. Man vereinbart einen Termin, wann das »Pfand«, zwei Ringe, die auf ein besticktes Taschentuch gelegt werden, ausgetauscht werden kann. Und nachdem alle Formalitäten erledigt waren, wurde Fatma ihrem Freund endlich versprochen.

Blieb für sie nur noch abzuwarten, dass ich endlich heiratete. Alle zwei Wochen rief sie mich an, um zu fragen, ob ich endlich jemanden kennen gelernt hätte. Ich hatte tatsächlich gerade jemanden kennen gelernt, aber ich wusste noch nicht einmal, ob ich ihn wiedersehen würde, geschweige denn, ob ich ihn heiraten wollte. »Es ist nicht so einfach, jemanden zu finden. Du hattest eben Glück«, sagte ich unwillig.

Im Laufe des Jahres änderte mein Vater allmählich seine

Meinung. Ich will nicht wissen, was Fatma alles vorbrachte, um ihn zu überzeugen. Es müssen furchtbare Prognosen für mein weiteres Liebesleben gewesen sein, die sie abgegeben hat. Schließlich beschloss Vater, dass sie heiraten dürfe, wenn absehbar sei, dass es überhaupt einen Mann in meinem Leben gäbe. Nun flehte mich Fatma an, doch wenigstens so zu tun, als hätte ich einen Freund. Wie konnte ich ihr helfen? Es gab einfach niemanden. Und schon gar keinen muslimischen Türken.

Als ich Mitte zwanzig war, sagte mein Vater, während er durch die Windschutzscheibe des Mercedes blickte: »Es gibt so viele Muslime in anderen Ländern.« In der Vatersprache heißt das: Er muss kein Türke sein. Hauptsache, er ist Muslim. Draußen regnete es, und dicke Wassertropfen erschwerten uns die Sicht.

Ablam, meine große Schwester war zu diesem Zeitpunkt schon lange verheiratet. Ehrlich gesagt, verging mir schon die Lust auf eine Ehe, wenn ich nur an ihre absurd aufwendige Hochzeit dachte. Sie war mit so viel Pomp ausgerichtet worden, dass heute noch jeder davon spricht. Man muss fairerweise dazu sagen, dass es nicht nur ihre Schuld war. Es war die erste richtige Heirat in unserer Familie, und mein Vater glaubte, je bombastischer die Hochzeit, desto geringer würde sein Herzschmerz sein, seine erste und älteste Tochter hergeben zu müssen. Meine Mutter hätte am liebsten alle vier Töchter in einer Massenhochzeit verheiratet, weil sie dann endlich ihre Ruhe gehabt hätte von fremden Besuchern, bestickten Taschentüchern und den wochenlangen Vorbereitungen.

Die Hochzeit von Ablam fand in der Türkei statt und war mit »nur« fünfhundert Gästen für türkische Verhältnisse verhältnismäßig überschaubar. Aber die meisten Verwandten lebten in Deutschland, und es war ihnen zu teuer, extra für die Feier in die Türkei zu reisen.

Im gleichen Jahr heiratete meine Cousine Leyla in Duisburg, und ich war mit meiner Familie eingeladen. Auch ihre Hochzeit war so pompös, dass sie mich eher abschreckte. Bevor wir zu dem Fest fuhren, versammelten wir uns alle in dem Haus meiner Tante. Die Frauen trugen neue Kleider und waren beim Friseur gewesen. Ständig kamen und gingen fremde Menschen, kreischende Kinder demolierten die Wohnungseinrichtung, Männer saßen im Wohnzimmer und spielten Tavla, und Dutzende von Frauen belagerten das Schlafzimmer und die Küche.

Plötzlich stand der Bräutigam mit seiner Familie vor der Tür, um die Braut auszulösen. Im Türkischen wird diese Tradition »yüz görümlüğü« genannt und heißt übersetzt »der Zoll, den man dafür zahlen muss, um das Gesicht der Braut sehen zu dürfen«. Das geht normalerweise ganz schnell, indem man den Brautvater symbolisch bezahlt, doch in Leylas Fall zog sich das Spektakel endlos in die Länge.

Bevor der Bräutigam das Haus betrat, legte mein Onkel Leyla das rote Seidenband um, das traditionsgemäß dreimal um die Taille gewickelt wird. Das ist ein alter Brauch, der dafür sorgen soll, dass die Braut mit ihrer Familie, ihrer Religion und mit ihrem neuen Zuhause verbunden bleibt. Leyla stand im Wohnzimmer, in das die Familie ihres zukünftigen Mannes aber keinen Eintritt bekam, weil zugleich ein rotes Band am Türrahmen befestigt worden war. Mein Onkel sollte nun das Band durchschneiden.

Er legte die Schere an und rief: »Oh, sie schneidet nicht.« Der erste Geldschein wurde herübergereicht. Dann legte er zum zweiten Mal die Schere an und rief: »Oh, sie schneidet wieder nicht.« Der zweite Geldschein folgte. So ging es noch ein drittes, viertes und fünftes Mal, bis der Bräutigam total genervt das Band durchriss, seine Braut packte und sie zum Auto brachte – was ihn später weitere Geldscheine Strafe kostete. Das ist zwar nicht üblich, aber mein Onkel belagerte den Bräutigam so lange, bis er irgendwann nachgab.

Leylas Hochzeit fand in der Stadthalle statt, dem zweitgrößten Festsaal Duisburgs. Der größte wäre das Fußballstadion des MSV gewesen, aber zum Glück kann man den für türkische Hochzeiten nicht mieten. Wir machten uns mit allen verfügbaren Autos auf den Weg, vorneweg im dicksten Mercedes Braut und Bräutigam. Aus dem nächsten Wagen hing Leylas Schwager, der alles voller Eifer mit der Videokamera festhielt. Der Corso war binnen kurzem auf die stattliche Anzahl von zwanzig Autos angewachsen und bewegte sich langsam voran. Der Brauch will es, dass Kinder immer wieder vor das Auto des Brautpaars springen, woraufhin ihnen der Bräutigam Geld zuwirft und somit die Weiterfahrt auslöst.

Nach geschlagenen zwei Stunden erreichten wir endlich die Halle. Hähnchen Roland hatte sich mit seinem fahrbaren Grill bereits gut sichtbar vor dem Eingang positioniert. Leyla und ihr Bräutigam wurden in die Halle geführt, was abermals gut eine halbe Stunde dauerte, weil jeder Fotos von den beiden machen wollte. Ich hatte den Eindruck, dass sich alle Türken dieser Welt versammelt hatten. Aber meine Mutter meinte, es seien nur etwa tausend Gäste, fünfhundert weniger als bei den Buluts, die zwei Wochen vorher geheiratet hätten. Ich konnte durch Leylas Schleier hindurch erkennen, dass sie schon zum diesem Zeitpunkt ziemlich genervt aussah. Ihre Hochzeit hatte bisher nichts mit dem schönsten Tag im Leben einer Frau zu tun. An unseren Plätzen angekommen, ließen wir uns auf unbequemen Plastikstühlen nieder. Die Tische waren mit Raufasertapete abgedeckt und wackelten. Auf ihnen türmten sich Tupperdosen mit Gurken, grünen Tomaten, Kohlblättern, die in Salzlake eingelegt waren, sowie Cola, Fanta und Sprite in großen Plastikflaschen. Und draußen bekam jeder von Roland ein halbes Hähnchen auf den Pappteller gepackt.

Das Brautpaar wurde mit seinen besten Freunden auf ein Podest gesetzt, und alle strömten herbei, um zu gratulieren. Leyla küsste Bräutigammutter, küsste Brautmutter, küsste Bräutigam, küsste Brautvater. In der Mitte thronte die Hochzeitstorte. In dem grellen Licht der Neonröhren sah Leyla aus wie eine Wasserleiche, die unendlich vielen Kinder, die gekommen waren, veranstalteten einen Höllenlärm, und mein Bruder Mustafa kippte mit seinen Freunden Johnny Walker, den er unter dem Tisch versteckte.

Haydar, der bestellte türkische Sänger, hämmerte auf sein Keyboard ein und sang in Begleitung einer Band türkische Schnulzen von Ferdi Tayfur und Emrah. Wenn die Musiker eine Pause machten, legte Haydar Schallplatten auf. Die Mädchen erstürmten die Tanzfläche und warfen Haar und Hüfte in die Luft – gefilmt von Leylas Schwager, der noch immer unermüdlich mit seiner Videokamera herumrannte und alles festhielt, was ihm vor die Linse kam.

Die Videokamera muss ein Türke erfunden haben. Wie lässt sich sonst sein Zwang erklären, jede auch noch so banale Kleinigkeit auf Video bannen zu müssen? Alle meine Geschwister haben eigene Videokameras, und das Fatale ist, dass sie nicht davor zurückschrecken, sie Tag und Nacht zum Einsatz zu bringen. Meine Eltern besitzen Kopien sämtlicher Videokassetten, auf denen präzise dokumentiert ist, wann ihre sechs Enkelkinder jeweils lächeln, krabbeln, laufen, hinfallen und wann sie das erste Mal auf dem Töpfchen sitzen. Die Kameras stehen einfach ununterbrochen auf betriebsbereit. Und jeder bekommt die Filmchen präsentiert, ob er sie sehen will oder nicht.

Mein Bruder Mustafa besitzt natürlich auch eine Kamera, nur hält er nichts von Kindergeschrei. Er filmt bevorzugt seine aktuelle Freundin, die sich auf den Videofilmen entweder gerade an- oder auszieht.

Nach dem Essen folgte das traditionelle Spektakel mit den Geldscheinen. Haydar, der Sänger, bat die Braut aufzustehen und sich auf die Tanzfläche zu stellen. Es war Zeit für Geld und Gold, der wichtigste Moment für die Familienoberhäupter, denn nun konnte öffentlich demonstriert werden, wie viel die Braut wert war. Jeder, der Gold oder Geldscheine an das Hochzeitskleid der Braut hängte, wurde per Mikrofon mit Namen und Verwandtheitsgrad genannt. Leylas Schwiegervater heftete mit einer lockeren Geste drei 500-Mark-Scheine an ihren Schleier, ein Raunen ging durch die Menge. Leider musste sie das Geld später wieder zurückgeben. Leylas Schwiegermutter legte noch zehn Goldarmbänder, eine Goldkette und einen Goldring drauf. Das Gold durfte die Braut behalten, es sollte das Paar finanziell absichern. Meistens muss es nach der Hochzeit sofort eingelöst werden, um den Kredit abzubezahlen, der für die Hochzeit aufgenommen wurde. Leylas Trauung kostete übrigens schlappe 30 000 Mark.

Später tanzten alle den »halay«, den türkischen Volkstanz, bei dem sich die johlenden Tänzer an der Hand oder Schulter fassen, wie eine außer Rand und Band geratene Schafherde von links nach rechts trampeln und sich gegenseitig die Knie aufschlagen. Jeweils der Letzte in der Kette wedelt mit einem bestickten Taschentuch. Die Band spielte dazu auf »davul« und »zurna«, einer Rhythmuspauke und einer hölzernen Trompete, zwei Instrumente, die nur als unzertrennliches Paar in Erscheinung treten. Lässt man sich auf den »halay« ein, muss man wohl oder übel bis zum Ende durchhalten. Denn hört man zu früh auf, wird es für alle Beteiligten gefährlich. Hält nur einer der Tänzer die komplizierte Schrittkombination nicht ein, geraten alle in der Kette aus dem Tritt, und zehn Leute mitsamt zwanzig Beinen fallen übereinander.

»Haydi, git kızım, oyna« (Los, Tochter, geh ruhig auch tanzen), sagt meine Mutter auf türkischen Hochzeiten oft zu mir. Sie stößt mir mit der Hand sacht in den Rücken und zeigt in Richtung Tanzfläche. Dabei sorgt sie sonst immer dafür, dass ich nicht zu sehr auffalle. Aber sie ermuntert mich nicht etwa, weil sie möchte, dass ihre Tochter auch ein wenig Spaß hat, sondern weil es eine Chance ist, Mütter mit heiratsfähigen Söhnen auf mich aufmerksam zu machen.

Obwohl ich wirklich gerne tanze, ist mir nicht ganz wohl dabei. Ich habe einmal auf einer türkischen Hochzeit eine Massenschlägerei erlebt, weil es Meinungsverschiedenheiten über die Musik gab. Die männlichen Hochzeitsgäste schlugen sich gegenseitig Plastikstühle auf die Köpfe, die Frauen gingen mit ihren Schuhen aufeinander los. Ganze neunzehn Streifenwagen waren im Einsatz, und weil die Polizeibeamten ebenfalls angegriffen wurden, musste am Ende sogar Pfefferspray eingesetzt werden.

Auf deutschen Hochzeiten passiert so etwas nie. Es muss ja nicht gleich in eine Massenschlägerei ausarten, aber ein bisschen mehr als Baumstammsägen könnte es nach meinem Geschmack schon sein. Nicht, dass ich die türkischen Hochzeitsbräuche loben wollte, im Gegenteil, aber nehmen wir als Beispiel einmal das bereits erwähnte Baumstammsägen. Vor der Kirche liegt ein knorriger Stamm, den das Brautpaar mit einer rostigen alten Säge zerteilen muss – ein Sinnbild dafür, dass sie von nun an gemeinsam alle Probleme lösen können, egal wie schwerwiegend sie auch seien. Und was machen die

Gäste? Sie vermitteln eher den Eindruck, peinlich berührt zu sein, und stehen verlegen herum. Da ist die Sache mit dem roten Band, dreimal um die Taille der Braut inmitten der Gästeschar gewickelt, wie sie auf türkischen Hochzeiten praktiziert wird, doch wesentlich aufregender und ausgelassener. Oder der Brauch, das Brautpaar nach der Trauung mit Reis zu bewerfen. Dies soll Fruchtbarkeit symbolisieren. Die Türken setzen einfach ein Kleinkind auf das Bett des Brautpaares, damit sie zahlreichen Nachwuchs bekommen – was ich entschieden plausibler finde.

Nach deutschem Brauch sollen böse Geister nicht nur vor der Tür, sondern auch unter der Schwelle lauern, wenn die junge Braut das Heim betreten will. Sie missgönnen ihr nach altem Aberglauben das Glück. Deshalb trägt der Bräutigam die Braut über die Schwelle und bewahrt sie vor den dunklen Mächten. Wir haben dafür »nazar boncuğu«, das Blaue Auge, einen Talisman in Form einer Glasperle. Das Auge soll vor bösen und neidvollen Blicken schützen, denn trifft uns der böse Blick eines Menschen, der es nicht gut mit uns meint, wird er in der Perle eingefangen und kann keinen Schaden anrichten. Am besten soll die runde blaue Glasperle wirken, wenn sie in der Nähe des zu Schützenden angebracht wird. Das Auge ist übrigens blau, weil man glaubt, dass Menschen mit blauen Augen der Kraft des Bösen am stärksten standhalten können. Deshalb hängen überall in türkischen Haushalten, Geschäften, Autos und oft als Kette um den Hals diese blauen Glasperlen.

Ich habe zwei blaue Schutzaugen, aber diese Geschichte ist ein wenig traurig. Das eine Auge gehört nämlich mir, das andere einem Mann, den ich erst vor kurzem kennen gelernt habe. Ich habe ihm sofort erzählt, dass ich eine Kopie seines linken Auges in Form einer kleinen Glasperle schon seit vielen

Jahren im Kleingeldfach meiner Geldbörse trage. Er schaute auf die Uhr und sagte, dass es schon spät sei und er jetzt gehen müsse. Ich kramte in meiner Handtasche nach der Geldbörse. »Ich kann sie Ihnen mal zeigen«, sagte ich, aber er drehte sich um und ging. »Es ist doch gegen den bösen Blick«, rief ich ihm hinterher, aber er war schon verschwunden.

Fatma durfte, wie gesagt, einige Monate nach ihrer Verlobung heiraten, obwohl ich immer noch ohne Mann war. Sie lebt seit ihrer Hochzeit in der Türkei. Jetzt blieben also nur noch meine jüngste Schwester Elif und ich übrig. Mich nannten meine Schwestern schon lange »evde kalmış«, was sinngemäß so viel bedeutet wie diejenige, die früher beim Sportunterricht als Letzte auf der Bank sitzen blieb, denn auch Elif hatte längst einen Freund. Die beiden hatten sich in Duisburg bei McDonald's kennen gelernt.

»Niemals wird meine jüngste Tochter vor meiner zweitältesten Tochter heiraten«, sagte mein Vater wütend, als sie ihn um den Termin ihrer Hochzeit bat. Drei Monate später feierten wir im Kültürverein Duisburg ihre Hennanacht, den Vorabend ihrer Hochzeit. Es ist die Nacht, die die Ehe segnen und weihen soll. Elifs Hände und Füße wurden mit Hennapaste beschmiert, einem dunkelbraunen Staubgemisch aus der Hennapflanze, die schon Prophet Mohammed – verzaubert durch ihren Duft – zur Königin aller Blüten ernannt haben soll. Die älteren Frauen sangen traurige Lieder, die Elif zum Weinen über den bevorstehenden Abschied von ihrer Familie bringen sollten. Ablam strich mir zur Sicherheit Hennapaste in meine rechte Hand, als Symbol für Fruchtbarkeit und Zeugungsfähigkeit. Dabei weiß sie, dass ich das Zeug nicht ausstehen kann. Es dauert Monate, bis man die Farbe wieder loswird.

»Kızım,« sagte mein Vater, als ich dreißig war und wir wieder einmal in seinem neuen Mercedes saßen. »Allah liebt alle Menschen, egal welcher Herkunft sie sind.« Damit meinte er, dass es ihm nun völlig egal sei, wen ich heirate, es könnte sogar ein Deutscher sein, nur solle ich es endlich tun! Das war vor fünf Jahren.

Meine vier Schwestern und mein Bruder Mehmet waren mittlerweile verheiratet. Nur mein jüngerer Bruder Mustafa und ich waren noch übrig. Mustafa ist bei seiner Freundin eingezogen, und vor ein paar Wochen schrieb er mir eine SMS: »Ey, Schiwesta, komme auf mein Hochzeit? Wegen Gischenk schiprechen wir noch. Dein Bruda.«

Ablam erzählte, dass mein Vater der Hochzeit nur zugestimmt habe, weil er genug davon hatte, dass ständig seine Schuhe umgedreht wurden. Heiratsgespräche führen türkische Söhne und Töchter nämlich immer in der Vatersprache. Und die Vatersprache kommt in manchen Fällen auch ganz ohne Worte aus. Nirgends kann man sie lernen, man muss sie selbst enträtseln, und umgedrehte Schuhe bedeuten eben: »Vater, ich will heiraten.«

Meine Eltern hatten mir verschwiegen, dass nun auch ihr jüngstes Kind heiraten würde. Ich frage mich, ob sie sich schämten oder mir nichts gesagt haben, damit ich nicht traurig bin? Und was ist überhaupt mit meinem Bruder los? Der ist doch gerade mal vierundzwanzig. Kann der nicht warten, bis seine erwachsene Schwester verheiratet ist?

Vor einigen Tagen fuhr ich wieder mit meinem Vater im Auto. »Wie alt bist du jetzt?«, fragte er so beiläufig wie möglich.

»Fünfunddreißig.« Ich wusste genau, worüber er reden wollte.

»Wir haben das alte Kinderzimmer renoviert.«

»Wirklich.«

»Deine Mutter und ich sind ja auch schon alt.«

»Wir werden alle nicht jünger«, sagte ich.

Er wurde ungeduldig: »Ich möchte nur, dass du eines weißt. Du kannst jederzeit wieder bei uns einziehen.«

Wir vermieden es, uns anzusehen.

»Ich habe auch mit deiner Schwester gesprochen. Wenn wir nicht mehr da sind, wirst du bei ihr wohnen.« Wir starrten beide durch die Windschutzscheibe.

10 *Der König von Duisburg*

Diesmal war es ein Handy, das mein Bruder Mustafa mir anbot. Natürlich war es nicht irgendeines. Die Außenhülle aus echtem Titan, eleganter Öffnungsmechanismus, ausdrucksstarkes Design. Der Preis von knapp siebenhundert Euro des schwarzen Nokia ließ mich monatelang darben, ich wollte es unbedingt haben. Bis Mustafa eines Tages genau dieses Handy aus seiner Jackentasche zog und es auf unseren Wohnzimmertisch legte. Ich griff danach und sagte: »Wow, das ist ja genau das Handy, das ich seit Ewigkeiten haben will. Kannst du mir auch so eins besorgen?«

»Ja, sischer, kein Problem, kannsu haben«, antwortete er.

»Und wie teuer wäre es?«

»Weil du mein Schiwesta bis, 150 Oyro.«

»Klasse. Gibt's auch eine Garantie und eine Rechnung?«

»Wenn's kaputtgeht, repariert mein Kollege, und Rechnung druck isch dir aus von Media Markt.«

Wenn es meinen Bruder Mustafa nicht gäbe, hätte ich ihn für dieses Buch erfinden müssen. Er ist ein leibhaftiges Klischee. Sein Leben ist Realsatire. Mustafa war schon immer anders als meine Geschwister und ich. Deshalb bekam er von uns auch immer zu hören, er sei im Krankenhaus vertauscht worden.

Bereits mit zehn Jahren hatte er die größte Klappe, fluchte die unanständigsten Flüche, die es in der türkischen Sprache gibt, versprach Nachbarskindern, fehlende Panini-Fußballbilder gegen Vorkasse zu besorgen (was er natürlich nie tat), und prügelte sich mit seinen Schwestern. Er ging damals schon mit dem hübschesten Mädchen des Blocks, aber nur so lange, bis er eine noch Hübschere fand.

Was seine Frauengeschichten angeht, hat sich seitdem nichts geändert, er ist heute immer noch auf der Jagd nach der Hübschesten und sagt, eine schöne Frau sei nicht schön, wenn sie nicht ihm gehöre. Aber es ist eine zweite Leidenschaft hinzugekommen: Fußball. Der kommt noch vor den Frauen und gleich nach den Handys. Sein türkischer Lieblingsverein ist Galatasaray, und in der Bundesliga vergöttert er Bayern München.

Mit dieser Passion steht Mustafa nicht alleine da. Fußball kommt nach Essen und Reden als Erstes im Leben der Türken, auch wenn die meisten noch nie auf einem Fußballfeld gestanden haben. Und bei den Türken gibt es genauso viele weibliche wie männliche Fußballfanatiker. Wir Türkinnen lieben Fußball. Ich selbst führe mit Mustafa wilde Diskussionen über jedes Spiel. Seit ich zehn bin, verfolge ich alle Wettkämpfe mit großer Spannung und kenne noch heute all die alten Namen: Augenthaler, Hrubesch, Briegel, Rummenigge.

Dabei stehen für mich keinesfalls Hintern und Frisuren der Spieler im Zentrum meines Interesses. Fußball ist für mich ein vom Mittelfeld aus strategisch aufgebautes Spiel, das bedeutet, im Strafraum gegnerische Spieler auszutricksen und ein sauberes Tor zu schießen, ohne in die Abseitsfalle zu laufen. Zugegebenerweise kam ich bislang nur selten in den Genuss, der türkischen Mannschaft beim Fußball zuzusehen. Unsere Leute spielen einfach hundsmiserabel. Eine Viererkette halten sie für

Goldschmuck, in der ersten Halbzeit rennen sie sich ohne einen einzigen Ballkontakt fast tot, schaffen es in der zweiten kaum noch über die Mittellinie und werden am Schluss mit 7:0 von der gegnerischen Mannschaft niedergewalzt.

Einmal waren sie wirklich gut, das war 2002 bei der Fußballweltmeisterschaft in Japan. Sie haben einfach Glück gehabt. Plötzlich schienen sie begriffen zu haben, dass ein Verteidiger nichts im Strafraum der gegnerischen Mannschaft zu suchen hat und dass er, wenn er sich den Ball in der eigenen Hälfte erspielt, auf keinen Fall damit blind über das Feld jagen, den eigenen Stürmer foulen und ein Tor zu schießen versuchen soll, um der Held der Nation zu sein. Auch hatten sie eingesehen, dass Fußball ein Mannschaftssport ist, eine ehrliche Grätsche nicht dem Hakentrick vorzuziehen ist, und dass es keine Tore dafür gibt, dass man dem Gegner wie eine wild gewordene Büffelherde in die Beine springt. Allen Respekt, bei dieser Weltmeisterschaft haben sie sehr diszipliniert gespielt. Ich fand sogar, fast ein bisschen wie die Deutschen: hinten zumachen und neunzig Minuten abwarten. Nicht umsonst sind sie Dritter und die Deutschen Zweiter geworden. Mit dem kleinen Unterschied, dass die Türken zwei Jahre nach dem Erfolg noch immer mit so dicker Hose herumgelaufen sind, dass sie die Qualifikation für die Europameisterschaft vergeigt haben.

Doch zurück zu meinem Bruder: Kurz vor dem Halbfinalspiel Türkei gegen Brasilien in Japan schlug bei Mustafa wieder das Panini-Syndrom ein. Die Zeit der bunten Aufkleber mit Portraits von den Mannschaftsmitgliedern war vorbei, aber er behauptete glaubhaft, er hätte es geschafft, die letzten Karten für das Spiel im Saitama Stadion zu besorgen, obwohl es bereits seit Tagen ausverkauft war. Und innerhalb der türkischen Kreise, in denen er verkehrte, verkaufte er viele Karten –

viele kleine bunte Eintrittskarten, satte hundert Euro das Stück. Fast hätte er mir auch eine angedreht. Ich wollte das Spiel so gerne live sehen, und da ich noch nie in Japan war, hätte ich es mit einem schönen Trip verbinden können.

Leider bekam ich keinen Urlaub und konnte nicht fliegen. Zum Glück, kann ich nur sagen. Die anderen Türken hatten weniger Glück. Sie buchten Flug und Hotel und flogen viele Stunden lang ins ferne Nippon. Dort stellte sich heraus, dass die Eintrittskarten gefälscht waren. Keiner kam ins Stadion.

»Selber schuld«, könnte man jetzt sagen. Es waren wirklich sehr schlechte Fälschungen. Aber man muss wissen, dass Türken immer sehr misstrauisch gegenüber Vertretern einer anderen Nationalität sind. Lieber vertrauen sie einem windigen Landsmann, der sie schon dreimal über den Tisch gezogen hat, als einer offiziellen Ticketverkaufsstelle. Mein Vater zum Bespiel hat bei den letzten Wahlen die FDP gewählt, weil der Kandidat seines Bezirks Türke war. Wo er doch sonst treuer SPD-Wähler und Willy-Brandt-Fan ist, wie die ganze Familie und fast die ganze Stadt. Mustafa musste trotzdem nach der Weltmeisterschaft kurzfristig die Stadt verlassen. Dass er immer einmal wieder flüchten muss, weil ihm jemand auf den Fersen ist, daran hat sich meine Familie schon gewöhnt.

Im Sommer wollte Mustafa mir eine Louis-Vuitton-Tasche verkaufen. »Weil du mein Schiwesta bis, achtzig Oyro«, sagte er. Ob die denn auch echt sei, wollte ich wissen. »Lüg isch, oder was. Isch schwör is escht«, versicherte er mir. Ich kaufte die Tasche, obwohl ich keine Ahnung hatte, woher sie stammte. Ehrlich gesagt, wollte ich es auch gar nicht so genau wissen.

Mustafa flucht und schwört immer und überall. Er ist überzeugt davon, dass ihm jeder glauben muss, wenn er einfach »ich schwör« hinter seine Sätze hängt. Er schwört auf den Koran, auf das Augenlicht seiner Geschwister, Neffen und

Nichten und die Gesundheit unserer Eltern. Und bei ganz besonderen Härtefällen, als letzte Möglichkeit sozusagen, schwört er auf seine Männlichkeit. Ich möchte nicht wissen, wie es um meine Familie und mich bestellt wäre, wenn all das eintreffen würde, worauf mein Bruder tagtäglich schwört.

Mustafas Heimat ist Duisburg, seine Familie und seine Freunde leben in Deutschland, und er besitzt den deutschen Pass. Er liebt seinen 3er-BMW, Käsebrötchen und seine aktuelle Freundin. Eigentlich spricht Mustafa ein sehr gutes Deutsch, besser sogar als seine Muttersprache. Und doch sagt er, dass er stolz sei, Türke zu sein. Mit seinen Freunden spricht er die Deutschländer-Sprache, ein Kauderwelsch aus deutsch und türkisch. Spräche er deutsch, sagt er, würde er sich verkleidet vorkommen. Deutsch sei die Sprache der Benjamins, Maltes und Kevins, derjenigen, die in Duisburgs besseren Gegenden lebten und ihn dafür hassten, dass er anders sei.

Türkisch spricht er mit deutschem Dialekt. Es ist ein einfaches Türkisch, und Mustafa ist der Einzige in der Familie, der das »r« nicht richtig rollen kann. Auf Deutschländisch sagt er mit schlecht gerolltem »r«: »Isch bin Türke, und wenn die kein Respekt haben vor mein Kültür, dann kriegen die Problem mit mir.« Es ist sehr schwer zu sagen, ob Mustafa die Verkörperung misslungener Integration ist oder sich einfach nur seinen Lebensumständen angepasst hat.

Er weigert sich, Deutsch ordentlich zu sprechen. Wenn ich ihn frage, warum er so ein Kanakendeutsch spricht, antwortet er: »Schiwesta, bin isch Türke, hab isch türkisch Bulut, ist Schiprache von türkisch Kollege und mir.«

Ich glaube, er spricht nur so, weil er als Türke, der den Dativ beherrscht, nicht mehr der Boss seiner Gang wäre. Seine Kumpel respektieren ihn, weil er einen messerscharfen Verstand hat und trotzdem einer von ihnen ist. Mustafa ist ein

Prolet, ein Zusammenprall von Orient und Okzident, der Einäugige unter den Blinden, der den Traum eines jeden Mannes lebt: Fußball, Autos, Frauen. Mustafa ist ein Sohn dieser Stadt. Er ist der König von Duisburg.

Wenn ich von Mustafa erzähle, entsteht ein Bild, das sich aus folgenden Facetten zusammensetzt: übertriebenes Männlichkeitsgehabe, maßlose Selbstüberschätzung, BMW-Fahrer, Media-Markt-Kunde, Handy-Fanatiker, blonde Freundin, gegelte Haare, Lederjacke, Adidas-Sporthose mit Druckknöpfen und Goldschmuck. Und ich muss zugeben, all das trifft auf meinen Bruder zu. Wenn ich ihn aufziehen will, rufe ich ihn »Musti«, das ist unter Türken die gängige Abkürzung für seinen Namen. Er findet das uncool und reagiert seit seinem elften Lebensjahr nicht mehr darauf.

Er ist das jüngste Kind meiner Eltern und somit das Nesthäkchen. Dieses Kosewort mit meinem Bruder in Verbindung zu bringen, ist natürlich purer Euphemismus. Weil er der Jüngste ist, hat mein Vater in seine Erziehung am meisten investiert, und eigentlich hätte aus ihm der Vorzeigesohn mit einem ordentlichen Lebensweg werden müssen, aber irgendetwas scheint schief gelaufen zu sein. Niemand von uns weiß genau, was, deshalb begnügen wir uns immer wieder mit derselben Ausrede: Mustafa ist im Krankenhaus vertauscht worden.

Er ist intelligent, groß und sieht verdammt gut aus. Er ist das Heißeste, was auf Duisburgs Straßen herumläuft, zumindest nach Ansicht der Frauen, die Mustafa noch nicht sitzen gelassen hat. Obwohl Mustafa, wie Ablam meint, im Moment gar nicht auf Duisburgs Straßen herumlaufen kann, weil er gerade einmal wieder die Stadt verlassen musste. »Wegen Problem mit Kollege«, sagt er. »Weil er die Freundin eines anderen Türken flachgelegt hat«, sagt Ablam.

Ich habe keine Ahnung, was Mustafa und seine »Kollegen« den ganzen Tag treiben. Ich möchte es auch nicht wissen. Manchmal arbeitet er für eine Leiharbeitsfirma. Genug Geld scheint er zu haben, sein BMW ist tiefer gelegt, hat die hochwertigsten Felgen und eine Musikanlage, mit der er eine türkische Hochzeit beschallen könnte. Tagsüber hocken er und seine Freunde im »kahve«, in einem der türkischen Männercafés, die es in Duisburg mittlerweile an jeder Ecke gibt. Diese Neonröhrenhölle ist alles andere als das, was sich ein Deutscher unter einem netten Café vorstellt. Für Frauen ist dieser Ort absolut tabu, es sei denn, eine Frau sucht ihren Ehemann. Dann würde sie zuerst hier nachschauen.

In einem »kahve« spielen die Männer Karten oder »tavla«, rauchen, trinken Tee und sehen Fußball. Deutsche trifft man hier nicht, und wenn sich einmal doch einer hierher verirrt, werden ihn die Türken zunächst komisch anschauen und sich fragen, was die »Kartoffel« hier zu suchen hat. Wenn er aber nett fragt, ob er sich dazusetzen darf, wird ihm jeder sofort einen Stuhl anbieten.

Oft stehen Mustafa und seine Kollegen aber auch nur herum und gucken. Wenn ich Mustafa frage, warum er und seine Freunde so blöd herumstünden, antwortet er: »Is nisch so langweilisch wie Zuhause. Kannse immer Bräute gucken.« Schaut jemand, der nicht in die Kategorie »heiße Braut« fällt, Mustafa länger als drei Sekunden intensiv an, empfindet er es als Provokation und sagt mit drohender Stimme: »Was guckst du?«

Mein Bruder könnte sein Zimmer mit Knöllchen tapezieren. Er bekommt sie häufig dafür, dass er tagsüber die Nebelscheinwerfer seines BMWs aufdreht, weil er allen zeigen will, wer der König der Straße ist. Er findet es nicht nur cool, Knöllchen zu bekommen, sondern auch, sie auf keinen Fall zu bezahlen. Das war nicht immer so. Erst als er merkte, dass die

Androhungen der Stadtverwaltung nur heiße Luft sind, hörte er auf, sie zu bezahlen.

Mein Vater sagt, dass er nicht verstehe, warum die deutschen Behörden Gesetze hätten, die sie nicht anwendeten. »Sie drohen und drohen, und es passiert nichts«, beschwert er sich über die laschen Methoden. Man müsse die Leute genau dort treffen, wo es sie am meisten schmerzt: bei der Ehre und beim Geld. In der Türkei hätten sie seinem Sohn nicht nur längst Führerschein und Auto weggenommen, sondern ihm auf der Polizeistation noch eine ordentliche Tracht Prügel verpasst. Das sei die einzige Sprache, die diese respektlosen Taugenichtse verstünden.

Manchmal ist mein Bruder Mustafa unfreiwillig komisch. Wie neulich, als ich in der Küche saß und meiner Mutter zuschaute, wie sie Weinblätter für das Abendessen wickelte. Ich muss kurz erwähnen, dass gefüllte Weinblätter mit Joghurtsoße schon immer ein Lieblingsgericht von mir waren. Trotzdem würde ich niemals auf die Idee kommen, sie selbst zu wickeln, denn das ist eine äußerst mühsame und langwierige Prozedur.

Während ich also in der Küche saß, hörte ich, wie Mustafa telefonierte. Ziemlich schnell wurde klar, dass der andere Gesprächsteilnehmer kein Freund sein konnte. Ich bekam nur Wortfetzen wie BMW, Autoreifen, Felgen, Oyro mit. Dann folgte: »Amına koyarım«, ein böser türkischer Fluch. Zum Schluss schrie er ins Handy: »Isch sach nur drei Worte: Hau ab!« Nicht, dass der Eindruck entsteht, Türken könnten nicht bis drei zählen. Ich bin mir sicher, dass Mustafa die »berühmten drei Worte«, die seine Freundin immer von ihm hören will, und die zwei Worte »verpiss dich«, die er selbst häufig hört, aus Versehen vertauscht hat.

Mustafa hat das geschafft, was assimilierten Türken nicht gelungen ist: Er fühlt sich wohl in seiner Welt, weil er nicht zwanghaft versucht, alles Türkische aus seinem Leben zu verbannen. Assimilierte Türken tun das oft, weil sie sich für die Landsleute, die bei den Deutschen ein Negativbild hinterlassen, schämen. Türken wie mein Bruder Mustafa sind ihnen peinlich, und sie wollen nichts mit ihnen zu tun haben. Doch dadurch werden sie auch keine Deutschen.

Wir haben so einen türkischen Deutschtümler in der eigenen Familie, unseren Cousin väterlicherseits, Murat. Er ist mit seiner Familie in eine Reihenhaussiedlung gezogen und achtet darauf, dass kein Türke in der Nähe wohnt, er fährt Volvo, seine Kinder heißen Yasmin und Deniz. Er hat sie aus der Schule genommen, weil ihm die Ausländeranzahl dort zu hoch erschien, und ihnen eine neue Einrichtung gesucht.

Murat rümpft die Nase über unhygienische türkische Supermärkte, nennt meinen jüngsten Bruder »Hinterwäldler« und versucht, sich mit allen Mitteln, von ihm abzuheben. Dabei wirkt er, wenn er mit dem *Focus* in der Hand bei uns vor der Tür steht, ungleich absurder.

Mustafa sagt, dass er nur zwei Feinde habe: rassistische Deutsche und gedeutschte Türken. In der Realität sind es mindestens zehn, zumindest wenn ich von der Anzahl Männer ausgehe, die vor einigen Wochen bei meinen Eltern vor der Haustür standen und mit ihm »sprechen« wollten. Mustafa ist der Überzeugung, dass sie keinen Respekt vor ihm haben. Und das muss nun einmal bestraft werden – notfalls sogar mit Fäusten.

Türken denken oft, dass die ganze Welt sich gegen sie verschworen hat. Sie sind nicht davon abzubringen, dass ihnen immer und überall Unrecht getan wird. Ganz besonders ungerecht sind Schiedsrichter und Türsteher der Diskotheken. Sobald ein Schiedsrichter gegen die türkische Mannschaft pfeift, hat er dies nur getan, weil er den Türken den Sieg nicht gönnt und natürlich von der gegnerischen Mannschaft gekauft wurde. Bekommen Türken keinen Einlass in eine Diskothek, weil sie mit zwölf Mann vor der Tür stehen, ist der Mann an der Tür nicht nur ein Rassist, sondern gleich ein Nationalsozialist: »Bist du Nazi, oder was?«, beschimpfen sie ihn dann.

Meine Eltern sind froh, dass Mustafa bisher noch nicht auf die Idee gekommen ist, in deutsche Talkshows zu gehen. Er wäre tatsächlich ein perfekter Talkgast, weil er das Klischee vom großmäuligen Macho einwandfrei bedient. Er sagt oft Dinge, die er nicht so meint, einfach, um zu provozieren und die Aufmerksamkeit auf sich zu lenken. In Daily Talks sitzen fast ausschließlich türkische Männer, wenn es darum geht, machohaftes Gehabe zu demonstrieren. Ganz selbstverständlich sagen sie, dass Frauen hinter den Herd gehörten und deutsche Mädchen Schlampen seien. Sie dürfen sich auch gern über Sex auslassen und darüber, wie viele Frauen sie schon flachgelegt haben. Die Moderatoren finden es großartig, das Publikum ist aufgebracht und antwortet mit Buh-Rufen und Gelächter. Zweck erfüllt, Quote gestiegen.

Der Prototyp eines Macho-Türken ist »Playboy 51«, der eigentlich Tanyu heißt. Ein Türke, der vor einiger Zeit durch sämtliche Talkshows zog und sich als unwiderstehlichen Frauenheld bezeichnete. Mit dem Spruch »Ick heeß nich umsonst Playboy, ick bin Playboy: Playboy 51 aus Reinickendorf, das ist mein Name, Alter«, tourte er durch die deutsche Fernsehlandschaft. Die Angst meiner Eltern ist groß, dass aus Mustafa irgendwann »Playboy 69« wird, dass er irgendwann im Fernsehen über »Ährre und Schitolz« philosophiert und ein absolutes Negativ-Klischee reproduziert. Er bezeichnet sich ja jetzt schon als unwiderstehliche Südfrucht und behauptet, mindestens neunundsechzig Freundinnen gehabt zu haben. Ich hoffe inständig, dass niemand im Fernsehen auf ihn aufmerksam wird. Da würde ich mich schämen.

Mustafa ist es egal, wen er provoziert, Hauptsache, es endet im Streit. Ich bin sein Lieblingsobjekt, weil ich mich zu gerne auf seine Provokationen einlasse. Vor einigen Wochen saßen meine Familie und ich friedlich beim Essen, als Mustafa schlecht gelaunt in die Küche kam und anfing, mich anzupöbeln: »Ey, Alte, wie siehst denn du aus? Keine Wunder, dass kein Mann disch will.« Ich lachte ihn aus und antwortete: »Besser keinen, als einen wie dich abzukriegen.«

Ablam sah das Unheil schon auf uns zukommen und zischte mir zu, ich solle mich nicht ärgern. Aber da war es schon zu spät. Mein Bruder und ich beschimpften uns heftig und warfen uns die schlimmsten Flüche an den Kopf. Irgendwann hielt mir meine Mutter den Mund zu, und Ablam versuchte, meinen Bruder ins Wohnzimmer zu zerren. Da rutschte ihm ein Wort heraus, das er zwar sehr oft verwendet, aber nie zu jemandem in seiner Familie gesagt hat: »Orospu.«

Ich möchte es gar nicht übersetzen, es ist das unanständigste Wort, das man zu einer Frau überhaupt sagen kann. Ich stürmte auf ihn los, und wir prügelten uns wie die Wilden. Meine Mutter und Ablam versuchten vergeblich, uns zu trennen. Nach einer Viertelstunde war alles vorbei, aber Bisswunden, ausgerissene Haarbüschel, blaue Flecken und Nasenbluten hatten wir am Ende der Schlacht doch zu beklagen.

Neulich rief Mustafa wieder einmal an und erzählte etwas von iPods, die er mir ganz billig verkaufen könne. »Ey, Schiwesta, guta Preis.« Ich bestellte drei Stück und sagte, dass ich sie in den nächsten Tagen abholen würde.

11 *Hans und Helga*

Gegen acht Uhr morgens klingelte es in meiner Berliner Wohnung. Meine Freundin Julia stand vor der Tür. Eigentlich waren wir erst für mittags verabredet, aber jetzt sei das Gemüse noch frischer, erklärte sie, und hielt mir eine dreiseitige Einkaufsliste unter die verschlafenen Augen. Ich hatte Julia versprochen, mit ihr türkische Lebensmittel einkaufen zu gehen. Nun bereute ich mein Versprechen schon. Julia kommt immer und überall vor der Zeit an, sie rechnet Staus, Unfälle, rote Ampelphasen, ja sogar Schneefälle im Sommer ein – sie kann nichts überraschen. Aber zwei Stunden zu früh, wenn man samstagmorgens gemeinsam einkaufen gehen will, das war zu viel. »Ich bin erst vor zwei Stunden nach Hause gekommen«, lallte ich, während der Alkohol durch meine Blutbahn schoss und dröhnend in meinem Kopf hämmerte.

»Los, zieh dich an«, rief sie mir ungerührt entgegen. »Wir müssen uns beeilen, ich brauche die besten Zutaten, die allerbesten!« Sie ging in die Küche und kochte starken Kaffee. Ich wankte hinter ihr her. Seit einer Woche plante sie ein Essen, mit dem sie den neuen Mann in ihrem Leben überraschen wollte. Sie hatte es sich in den Kopf gesetzt, dasselbe Menü zu kochen, das meine Mutter uns vor einigen Wochen serviert hatte. Ich hatte versucht, sie davon abzubringen: »Meine Mutter hat dafür mehrere Tage in der Küche verbracht«, warnte ich, und insgeheim dachte ich darüber nach, warum eine Deutsche für ihren deutschen Geliebten ein türkisches Essen zubereiten muss. Jede Landesküche von argentinisch bis zypriotisch wird gnadenlos ausprobiert, aber die heimische Küche vernachlässigen sie. Typisch deutsch!

Doch Julia ließ sich nicht umstimmen. »Bitte. Du musst doch nur mit mir einkaufen.« Kochen, beteuerte sie, werde sie die Gerichte selbst. »Außerdem springt ja vielleicht auch etwas für dich heraus. Er hat nämlich einen ziemlich netten Freund. Einen wunderbaren blonden, blauäugigen Freund. Tja, du musst es wissen, ob du ihn dir entgehen lassen willst!« Zehn Minuten später saßen wir in ihrem roten Corsa und fuhren gemeinsam in einen türkischen Supermarkt.

Ich mag meine Freundin wirklich sehr gern, aber manchmal treibt sie mich mit ihrer Überpünktlichkeit, ihrem Perfektionismus und ihrem Ordnungswahn in den Wahnsinn. Letzten Sommer verbrachten wir gemeinsam unseren Urlaub in einem Luxushotel auf Mallorca. Kaum hatten wir unser Doppelzimmer betreten, packte Julia den Inhalt ihres Koffers fein säuberlich aus und hängte alle Kleider in den Schrank. Während sie ihre Kosmetik noch im Bad verstaute, zerrte ich nur meinen Bikini aus der Tasche, lief die Treppe hinunter und sprang in den Pool.

Ich lebe für gewöhnlich die ganzen Ferien aus dem Koffer, außer das Zimmermädchen oder meine Reisebegleitung nimmt meine Unordnung nicht mehr hin und packt die Sachen in den Schrank. Ich räume nie auf, weil ich sonst bei der Abreise die Hälfte vergesse. Alles muss schön sichtbar im Zimmer herumliegen. Am Abreisetag sammle ich es zusammen, stopfe es in den Koffer und bin immer als Erste mit dem Packen fertig.

Für mich ist ein Hotelzimmer einfach nur ein Hotelzimmer. In der ersten Nacht schlafe ich schlecht, die Bettwäsche riecht nach Bleichmittel, und auch sonst erinnert nichts an mein Zuhause. Für Julia ist spätestens nach vierundzwanzig Stunden jedes Hotelzimmer ihr Heim. Sie stellt überall Dinge hin, die den Raum wohnlicher machen und ihr ein Gefühl von Heimat geben sollen. Ihr Teddy, der mitgereist ist, sitzt ordentlich auf dem Bett, sie stellt Duftkerzen auf und schraubt die Glühbirnen aus den Lampen, um eine behaglichere Atmosphäre zu schaffen. Wenn wir unterwegs sind und sie zurück ins Hotel will, sagt sie: »Komm, lass uns nach Hause gehen.«

Morgens steht Julia früh auf, reserviert mit Handtüchern zwei Liegen am Pool und während ich mich im Bett noch einmal umdrehe, checkt sie das Frühstücksangebot. Dann kommt sie hochgelaufen, reißt ungeduldig die Vorhänge auf und brüllt: »Scheint keine Sonne in ein Zimmer, kommt bald der Arzt herein.« Julia wendet gern türkische Sprichwörter gegen mich, die sie von mir aufgeschnappt hat. Dieses habe ich einmal benutzt, als sie sich vor Liebeskummer tagelang im Bett verkrochen hatte.

Julia lernt schnell, ist akkurat, ehrlich, pünktlich, zuverlässig, fleißig und hat einen gesunden Egoismus. Meine Mutter zum Beispiel mag Julia, aber sie ist ihr auch ein wenig suspekt. Vor einigen Wochen haben sich die beiden mit Händen, Füßen und meiner Übersetzungshilfe länger miteinander unterhalten. Meine Mutter wollte von Julia wissen, weshalb sie bisher noch keine Familie gegründet hat. Julia antwortete, dass sie gern irgendwann Kinder haben möchte, aber gleichzeitig nicht auf ihren Beruf als Grafikdesignerin verzichten wolle.

Das ist übrigens auch meine Meinung, doch ich würde es nicht wagen, diesen Standpunkt gegenüber meiner Mutter zuzugeben. Ich kenne ihre Wertvorstellungen, aber auch ihren

Zorn nur allzu gut, und hielt mich aus dieser Diskussion schön heraus.

»Eine Frau ist mit ihrer Familie verschmolzen, nicht mit ihrer Arbeit«, sagte meine Mutter empört. Die türkische Familie sei ein einziges großes Nest. »Mit jeder Heirat und dem Auszug eines jeden Kindes«, erklärte sie, »wird die türkische Familie nicht kleiner, sondern größer.« Es sei die heilige Pflicht der Frauen, dieses Nest zu vergrößern und zusammenzuhalten.

Meine Eltern haben ganz klare Wertvorstellungen: Sie loben den Familienzusammenhalt, haben einen starken Bezug zu den eigenen Traditionen und pochen bei ihren Kindern auf ein tugendhaftes Leben. Julia entgegnete: »Eltern müssen ihre Kinder flügge werden lassen und dann ihr eigenes Leben leben«, und schaute dabei in meine Richtung. Sie hatte Recht. Meine Eltern haben bis heute keine eigenen Interessen und Hobbys, einmal abgesehen von den Moscheebesuchen meines Vaters. Immer ist eines ihrer Kinder zu Besuch, oder sie sind bei den Kindern. Sie essen zusammen, schauen fern oder gehen gemeinsam auf Verwandtenbesuch. Meine Geschwister haben sich vom Elternhaus nie richtig abgenabelt. Und obwohl sie verheiratet sind und eigene Familie haben, stehen sie jeden Tag bei meinen Eltern vor der Tür. Aber meine Mutter ließ sich von Julia nicht beeindrucken. Eine Mutter und Ehefrau, das war für sie unumstößlich, stellt ihre eigenen Wünsche für das Wohl der Familie zurück.

»Deine Eltern haben sich für ihre Kinder total aufgegeben«, bemerkte meine Freundin auf dem Nachhauseweg. Ich fragte sie, ob sie nicht manchmal damit liebäugelt, auch eine Familie zu gründen und nur noch für ihre Kinder da zu sein? Insgeheim stellte ich mir diese Frage ja selbst. Was würde mit mir passieren, wenn ich eigene Kinder bekäme?

Julia verneinte. Das käme für sie nicht in Frage. Kinder nur dann, wenn sie mit dem Beruf vereinbar sind.

Manchmal pocht Julia sehr rigoros auf ihre Rechte als Frau. Aber dafür kann sie nichts. Ihre Eltern gehören der 68-Generation an, und ihre Mutter hat sie im Gegensatz zu meiner Mutter antiautoritär erzogen. Sie lernte, dass eine Frau unabhängig bleiben muss, ich lernte, dass eine Frau das Nest zusammenhält. Julia ist forsch, meint immer zu wissen, wo es langgeht, und macht ihren Lebensbauplan häufig zum Maß aller Dinge.

Als Julia meine Familie das erste Mal traf, war sie sehr überrascht. Sie habe nicht erwartet, dass meine Familie so türkisch sei, erzählte sie mir später. Sie meinte damit, dass meine Mutter Kopftuch trägt, mein Vater während unseres Besuchs verschwand, um zu beten, und die Wohnungseinrichtung aussieht wie aus den siebziger Jahren.

Mir fällt das gar nicht mehr auf. Es ist nicht so, dass mein Vater nicht regelmäßig renovieren und neue Möbel anschaffen würde, aber er entwickelt sich einrichtungstechnisch einfach nicht weiter. Kürzlich war er im Baumarkt und entdeckte die Tapete, mit der er vor dreißig Jahren schon einmal sein Wohnzimmer tapeziert hatte. »Ach, wie schön, die gibt es ja immer noch«, sagte er beglückt und kaufte zehn Rollen. Für mich ist mein Vater ein großer Revival-Fan. Er weiß nicht, dass die Sachen, die es heute im Stil der Siebziger zu kaufen gibt, Kult sind, aber er freut sich, wenn junge Leute sich ebenfalls seine Lieblingstapete kaufen.

Meiner Mutter hingegen sind Wandbeläge egal, solange ihre Füße weich gebettet sind. Deshalb legt sie in jedes Zimmer bunte, flauschige Teppiche, die sie schon immer aus der Türkei mitbrachte. Über einen praktischen Holzboden will sie nicht einmal sprechen. »Ich laufe doch nicht auf einem nackten Boden herum«, fährt sie mir über den Mund, wenn ich ihr von den Vorteilen eines Parkettbodens vorschwärme. Sie mag es häuslich und sagt: »Ein Heim muss warm sein und nach Essen riechen.« Wenn ihre Teppiche schmutzig sind, wuchtet sie sie in den Garten, spritzt sie mit dem Gartenschlauch nass, streut Vollwaschmittel darüber und schrubbt sie so lange, bis sie wieder sauber sind.

Meine Mutter liebt Sitzlandschaften, noch mehr liebt sie aber Wohnaccessoires. Deshalb liegen in allen Größen und Farben bestickte Kissen auf ihren Couchgarnituren, gehäkelte Deckchen auf den Tischen, und überall prangen leuchtende Bilderrahmen.

Einmal lud Julia meine Eltern zu sich nach Hause ein, um sich, wie sie sagte, für die vielen Einladungen zu revanchieren. Sie wollte wissen, was ich davon hielt, wenn sie meinen Eltern etwas typisch Deutsches koche. Sie hatte bereits ein Menü zusammengestellt, das aus drei Gängen bestehen sollte: eine deftige Kartoffelsuppe mit Einlage als Vorspeise, Kohlroulade nach Hausfrauenart als Hauptspeise und zum Dessert Rote Grütze mit Vanillesauce. »Vergiss es«, sagte ich, »so experimentierfreudig sind meine Eltern nicht.« Ich bot ihr stattdessen an, ein paar Lieblingsspeisen meiner Eltern zuzubereiten. Meine Mutter lobte Julias Kochkünste, bewunderte höflich ihre Wohnung und sagte am Ende des Abends: »Aber das nächste Mal kommst du wieder zu uns.«

Mir erzählte sie am nächsten Tag, dass sie Julias Wohnung ungemütlich und kalt fand, dass meine Freundin kein Heim habe, sondern eine große Hundehütte, und dass die Möbel unpraktisch seien. Sie meinte das nicht böse, eher mitleidig. Ich habe es Julia nie erzählt, denn sie hat viel Geld und Zeit in diese Wohnung investiert, als sie einzog. Sie ließ den Holzfußboden renovieren, kaufte sich ein sehr teures Sofa und den Esstisch eines Möbeldesigners, dessen Nachname wie der einer teuren deutschen Automarke klingt. In ihrem Arbeitszimmer steht ein Schreibtisch mit integriertem Computeranbau, und sie schläft in einem Bett, dessen Sieben-Zonen-Latexmatratze mit Vertikal-Lüftungssystem gegen Wärmestau drei Mal so teuer war wie das ganze Bett.

Julias Wohnung zeichnet sich durch eine gewisse Leere aus: helle, luftige Räume, bestückt mit natürlichen Materialien, die ihrem Harmoniebedürfnis zuträglich sind. Die Einrichtung ist auf das Wesentliche reduziert.

Ein Spaziergang durch das Wohnzimmer meiner Familie dagegen ist eine Reise durch eine andere Welt, wenn nicht sogar ein anderes Universum. Sind es Schirm, Aspirin und Terminkalender, die in Julias Wohnung nicht fehlen, kann meine Mutter nicht ohne ihren Handstaubsauger und ihre Schnellkochtöpfe leben.

Den Mittelpunkt in unserem Wohnzimmer beschreibt ein Holztisch mit zahlreichen Stühlen, den meine Eltern aus der Türkei mitgebracht haben. Es haben locker zwölf Personen *an* ihm und ein ganzes gebratenes Lamm *auf* ihm Platz. Er war schon immer Dreh- und Angelpunkt unseres Lebens, und bis heute hat sich nichts daran geändert. Wenn meine Eltern etwas mit uns besprechen wollen, rufen sie uns an diesen Tisch. Meine Mutter packte hier den Reiseproviant, bevor wir nach Anatolien losfuhren, und mein Vater ordnete die Reiseunterlagen. Ich machte meine Hausaufgaben und meinen ersten Kartoffeldruck darauf, und zu Ostern blies ich mit Nachbarskindern Eier aus. Auf diesem Tisch habe ich die Einbürgerungsunterlagen für meine Familie ausgefüllt, und vor einigen Wochen nähte Ablam hier das Faschingskostüm meiner Nichte. Ich wüsste nicht, was wir ohne diesen Tisch täten. Er ist stets mit irgendwelchem Gerümpel voll gepackt, und wenn wir an ihm essen wollen, müssen wir ihn erst einmal leer räumen.

Auf Julias Esstisch steht lediglich eine mit Wasser gefüllte silberne Designer-Schale, in der Duftkerzen schwimmen. In dem behaglichen Chaos meiner elterlichen Wohnung würde sie wahrscheinlich ersticken.

Es dauerte nicht lange, bis Julia und ich den türkischen Supermarkt erreicht hatten, schließlich sind die Straßen um diese Zeit noch menschenleer. Nur die Männer von der Straßenreinigung waren schon unterwegs. Während der Gemüseverkäufer uns verwundert ansah, weil er gerade erst begonnen hatte, die Auslage herzurichten, kramte Julia schon ihre Einkaufsliste aus der Tasche. Ich begrüßte ihn freundlich auf Türkisch, meine Freundin zog einen Stift aus der Tasche, faltete die Liste auseinander und rief euphorisch: »So, dann wollen wir mal.« Sie orderte fünfhundert Gramm Aubergine, zweihundert Gramm Tomaten und zwei Zwiebeln und machte auf ihrer Liste drei Häkchen. Der Verkäufer grinste spöttisch.

»Julia«, sagte ich, »beim Türken kauft man Gemüse nicht hundertgrammweise, Wassermelonen nicht halb und Schafskäse nicht in Scheiben.« Türken haben auch keine Single-Dosengerichte, und schon gar nicht verkaufen sie halbe Brote. »Aber mehr brauche ich nicht«, sagte Julia entschieden und bestellte dreißig Gramm glatte Petersilie sowie eine Knoblauchknolle.

Ich nickte dem Verkäufer zu, und er rundete das Gemüse auf ein Kilo auf, legte ein Bund Petersilie in den Einkaufskorb und fragte: »Fünf-Kilo-Sack oder Zehn-Kilo-Sack Zwiebeln?« Ich antwortete: »Wir verzichten auf die Zwiebeln und den Knoblauch.« – »Nein!«, rief Julia entrüstet und sah mich vorwurfsvoll an. Ich beruhigte sie, indem ich ihr versprach, dass wir noch beim Edeka vorbeifahren würden, um lose Zwiebeln und Knoblauch zu kaufen. Sie vermerkte das gewissenhaft auf ihrer Liste.

Julia und ich oder Deutsche und Türken haben eine unterschiedliche Interpretation des Wortes »nein.« Julia und die Deutschen sagen »nein« und meinen »nein«. Ich und die Türken dagegen meinen »nein« und sagen »mal schauen«, »vielleicht«, »ich habe viel zu tun«, »meine Eltern kommen am Wochenende« oder »ich melde mich später.« Julia hat es da einfacher, sie kommt ganz ohne Ausreden aus.

Julia ist eine Helga. Zumindest nennt meine Mutter sie so. Natürlich nur, wenn sie es nicht hören kann. Genauso nennt sie meinen besten Freund Sascha »Hans«. Meine Mutter sagt, dass Helga sehr gut mit Hans zusammenpassen würde, und will wissen, warum ich die beiden bisher noch nicht verkuppelt hätte. Sie wären doch so ein schönes Paar. Es würde nichts nutzen, meiner Mutter zu erklären, dass allein die Tatsache, dass meine beiden Freunde blond und deutsch sind, nicht automatisch bedeutet, dass sie als Paar funktionieren. Denn sie würde feixend zu meinem Vater schauen und sagen: »In deinen Vater habe ich mich auch erst verliebt, als wir schon vier Kinder hatten.«

Sascha habe ich vor einigen Jahren auf einer Party kennen gelernt. In der Küche wurde bei Rotwein heftig über politische Themen diskutiert. Sascha war der Einzige in der Runde, der Bier trank und dessen Blick sich ohne Umschweife auf mein Dekolleté heftete. Das und die Tatsache, dass er blond war, machten ihn zunächst sympathisch. Ich versuchte mit ihm zu flirten und bekam von den anderen prompt verächtliche Blicke zugeworfen, weil ich an diesem Abend keine Lust hatte, die Welt zu retten. Sascha erging es offenbar ähnlich, denn nach einer halben Stunde stellte er seine leere Bierflasche auf den Tisch und sagte: »Also, ich bin jetzt hier fertig, gehen wir?« Ich war ein wenig überrascht und antwortete: »Ich mache mal eine Runde, mal sehen, wer noch da ist«, und meinte damit eigentlich »nein«.

Deutsche Männer haben eine merkwürdige Art zu flirten. Entweder man merkt nichts davon (wie es mir mit Sascha zunächst ging), oder sie fallen mit der Tür ins Haus. Sie sagen nichts, sie lächeln nicht, und pfeifen würden sie schon gar nicht. Sie schauen einer Frau, die ihnen gefällt, nur heimlich hinterher. Und wenn die Frau selbst die Initiative ergreift, ergreifen sie die Flucht.

Mit Sascha und mir hat es letzten Endes leider auch nicht geklappt. Er sagte mir bei unserem dritten Date sehr deutlich, dass er nicht in mich verliebt sei, mich aber als Mensch sehr schätze und mir deshalb seine Freundschaft anbiete. So genau wollte ich es eigentlich gar nicht wissen. Immerhin sind wir tatsächlich Freunde geblieben. Bei einem türkischen Mann würde es gar nicht erst zu einer solchen Situation kommen, was aber nicht immer bedeutet, das sei besser. Einerseits sind türkische Männer heiratswilliger als deutsche, aber wenn ihnen eine Frau nicht zusagt, halten sie sich andererseits nicht mit allzu langen Erklärungen auf. Dabei sind ihre Abfuhren stets freundlich verpackt. Meistens benutzen sie die Ausrede, dass sie leider schon liiert seien und deshalb schweren Herzens verzichten müssen. Julia nennt das lügen, aber eigentlich geht es darum, höflich und ohne Umwege schnell aus einer Sache herauszukommen.

Bei deutschen Männern hat man als Frau das Gefühl, unsichtbar zu sein. Stundenlang sitzt man im Park oder läuft allein durchs Museum, aber höchst selten wird man angesprochen. In der Türkei dauert es keine zehn Minuten. Ich gebe zu, es ist manchmal etwas anstrengend, wenn Männer einen vierzehn Blocks lang verfolgen, »Hast du dir wehgetan, als du vom Himmel gefallen bist?«, rufen und einen so lange quälen, bis man seine Telefonnummer herausrückt oder ihre Einladung zum Kaffee annimmt. Aber es ist immer noch besser, als ignoriert zu werden.

Manchmal frage ich mich, wo bloß das ganze Testosteron der deutschen Männer geblieben ist? Oder wie erklärt es sich, dass sie Frauen auf der Straße nicht einen Blick, geschweige denn ein unverbindliches Lächeln schenken?

Türken nutzen jede Gelegenheit, um zu flirten, und am liebsten beim Tanzen. Ganz plötzlich packt sie die Tanzlust, ob Frauen oder Männer, und sie werfen ein paar »Bauchnabel«, wie es auf Türkisch heißt. Auf Deutsche wirkt das sehr oft befremdlich. Es ist keine Seltenheit, dass eine meiner türkischen Freundinnen auf den Wohnzimmertisch steigt, um eine Bauchtanzperformance einzulegen. Während deutsche Kinder »Mensch ärgere dich nicht« spielten, ließen meine Geschwister und ich früher zu türkischer Musik unsere Bauchnabel kreisen. Für Türken bedeutet tanzen flirten und erobern. Deutsche sind sogar beim Tanzen darauf bedacht, sich unter Kontrolle zu halten. Entweder tanzen sie gar nicht und schauen nur zu, oder sie bewegen sich krampfhaft und mit starrer Miene. Und gibt es doch einmal Blickkontakt mit einer Frau, fangen sie auf der Tanzfläche sofort schreiend ein Gespräch an.

Mein Bruder Mustafa ist ein Paradebeispiel dafür, wie unkompliziert es für türkische Männer ist, eine Frau anzusprechen, die ihnen gefällt. Seine aktuelle Freundin lernte er in einem Café kennen, in dem sie allein am Tisch saß und eine Zeitschrift las. Mustafa sah sie, ging an ihren Tisch, setzte sein schönstes Lächeln auf und sagte: »Glaubs du an Liebe auf erste Blick, oder soll isch nochma reinkommen?«

»So, jetzt brauche ich Tomatenmark«, sagte Julia und blickte sich suchend nach dem Regal um. »Lass uns erst mal das Obst kaufen«, riet ich, aber sie ist anderer Meinung: »Als Nächstes steht Tomatenmark auf meiner Liste!«

Julia ist akribisch bei allem, was sie tut, und sei es, dass sie eine Suppe kocht. Benötigt sie für ihr Rezept zum Beispiel frisches Zitronengras, fährt sie so lange durch Berlin, bis sie es findet. Sie käme nicht einmal auf die Idee, es durch etwas anderes zu ersetzen oder gar einfach wegzulassen. Wenn meine Freundin für mehr als vier Personen kocht, würde sie niemals die Mengenangabe des Rezeptes einfach verdoppeln. Sie bereitet das Gericht zweimal zu, um die Konsistenz nicht zu gefährden.

Ich koche sehr selten. Und wenn ich es tue, dann ohne Rezept, ohne Messbecher und ganz sicher ohne Zitronengras. Das habe ich von meiner Mutter. Sie hat mich gelehrt, beim Kochen ohne Hilfsmittel auszukommen, was dazu führt, dass am Ende auf meinem Singletisch das Mahl für eine ganze Großfamilie steht.

Wie meine Mutter käme ich auch nie auf die Idee, eine Einkaufsliste zu schreiben. Anders als Julia, deren Leben komplett durchgelistet ist: Rückruflisten, Anruflisten, Einkaufslisten für den Drogeriemarkt, den Supermarkt, den Ökoladen, den Metzger und den Bäcker. Listen für die Urlaubsbesorgungen und die Sehenswürdigkeiten, die sie auf jeden Fall besichtigen muss. Eine Liste für Sehenswürdigkeiten, wenn sie am Ende noch Zeit übrig hat, und eine Liste für die Sehenswürdigkeiten, die sie auf keinen Fall besuchen will, weil sie die schon kennt. Sie erstellt Arztlisten mit akuten und vorsorglichen Untersuchungen, Listen mit Kinofilmen und Videofilmen, die sie unbedingt sehen will. Die einzige Liste, die Julia noch nicht erstellt hat, ist eine mit ihren Männerbekanntschaften. Das wäre zumindest mal eine sinnvolle Liste. Aber das findet sie geschmacklos. Ich muss zugeben, dass mich Julia mit ihrem Listenwahn ein wenig infiziert hat. Seit einigen Monaten besitze ich ebenfalls eine Liste, in der ich meine gesamte Garderobe sowie meine Schuhe erfasst habe. Und ich gebe zu – ich finde das ziemlich praktisch.

Julia arbeitete jedenfalls im Supermarkt ihre Einkaufsliste nach der Reihenfolge ab, die das Rezept vorgab. Es dauerte geschlagene zwei Stunden, bis sie endlich alles hatte, was sie brauchte. Zum Glück konnte ich sie davon abbringen, Oliven und scharfe Peperoni stückweise zu kaufen. »Ich kaufe dir den Rest ab, den du nicht benötigst«, beschwor ich sie. Wir verstauten die Plastiktüten in ihrem Corsa, fuhren zum Edeka, und sie bugsierte das kleine Auto gekonnt in eine Parklücke auf der anderen Straßenseite. Als wir an der Kreuzung standen, schaltete die Ampel gerade auf Rot. »Komm«, rief ich und zerrte an ihrem Ärmel, »die Straße ist frei.« Doch niemals würde Julia eine Ampel bei Rot überqueren, auch wenn weit und breit kein Auto zu sehen ist.

Für mich ist das nicht nachvollziehbar, zumal ich es von Izmir und New York gewöhnt bin, dass man komisch angeschaut wird, wenn man an einer roten Ampel stehen bleibt. Es ist unmöglich, Julia von dieser deutschen Eigenart abzubringen, weil sie zugegebenermaßen einen guten Grund hat. »Ich möchte kein schlechtes Vorbild für Kinder sein«, sagt sie mit tadelndem Unterton. »Aber du bist die Einzige, die stehen bleibt«, rufe ich ihr vom gegenüberliegenden Bürgersteig zu. Sogar Mütter mit Kindern ignorieren mitunter eine rote Ampel, um die Straßenbahn noch zu erwischen. Ich sage ihr aber nicht, dass es meistens türkische Mütter sind.

Julia ist eine wunderbare Freundin, vielleicht gerade deshalb, weil sie diese urdeutschen Eigenarten hat, die mir so schrullig und liebenswert erscheinen. Dabei will sie nicht hören, wie typisch deutsch sie manchmal ist. Julia kann sich zum Beispiel nicht überschwänglich freuen, nicht einmal wenn sie im Lotto gewinnt. Vor ein paar Jahren hatte sie vier Richtige und bekam eine Summe ausgezahlt, die sie mir bis heute verschweigt. Wenn ich sie frage, antwortet sie: »Über Religion und Geld spricht man nicht.« Ein türkisches Sprichwort, das sie natürlich von mir kennt. Wir gingen damals gemeinsam mit dem Schein in die Lottoannahmestelle, um ihn prüfen zu lassen. Als ich hörte, dass sie gewonnen hatte, schrie ich vor Freude und umarmte sie heftig. Julia war meine ausgelassene Freude jedoch peinlich. »Ist ja schon gut«, wehrte sie verlegen ab. Wie hätte ich sonst reagieren sollen? Einfach so tun, als freute ich mich nicht?

Türken müssen ihre Gefühle zeigen, und meistens kommen sie dabei sogar ganz ohne Worte aus. Die türkische Körpersprache macht es möglich, sich mit seinem Gesprächpartner zu verständigen, ohne ein Wort miteinander zu sprechen. Um zum Beispiel »ja« zu sagen, neigen wir den Kopf vorwärts Richtung Brustbein, für »nein« richten wir den Kopf nach hinten und heben dabei die Augenbrauen hoch. Schütteln Türken den Kopf von rechts nach links, bedeutet das nicht etwa das deutsche »Nein«, sondern »ich verstehe dich nicht«. Spreizt man die Schultern und die Arme zur Seite, heißt es »das kenne ich nicht«. Ein kleiner Klaps auf die Schulter des Gesprächpartners meint »ich vertraue dir«.

In der Türkei sitzen alte Männer im Sommer oft vor den Teehäusern. Die glühende Hitze macht sie faul, so sehr, dass sie froh sind, ohne Worte auszukommen. Sie küssen sich auf die Wangen, senken Köpfe, spreizen Arme, bewegen Hände, tippen Schulter, heben Füße und machen dabei Geräusche. Türken reichern ihre Dialoge mit Lauten an, um noch weniger Worte zur Verständigung zu gebrauchen. Ein »He, he« hört sich nach Hohn an, bedeutet aber nur ein doppeltes »Ja«. Ein unmissverständliches »Nein«, was sehr selten benutzt wird, klingt nach »tchik«.

An dem Samstag, als Julia das feurige Menü für ihren neuen Freund zaubern wollte, habe ich am Telefon ein sehr deutliches »tchik, tchik« von mir gegeben. Nicht, dass ich ihren Anruf nicht erwartet hätte, ich war allenfalls überrascht, dass er so spät kam. »Es schmeckt schrecklich«, schrie sie ins Telefon, »bitte, du musst mir helfen!«

Sie hatte alle Gerichte so stark mit »pul biber« gewürzt, dass sie schon beim Probieren Feuer spuckte. Ich hatte vergessen, sie zu warnen, dass das kräftig dunkelorangerote Gewürz zwar nach harmloser Paprika duftet, aber dass einem schon vom Riechen die Augen tränen. Reibt man die blassen, getrockneten Plättchen zwischen den Fingern, wird man die rote Farbe nicht so schnell wieder los. Sogar meine Mutter, die immer sehr scharf würzt, kommt mit hundert Gramm »pul biber« ein halbes Jahr aus. Julia hatte hundert Gramm für ein Abendessen benutzt.

Aber das war nicht das Einzige, was schief gegangen war: Julia hatte von den geplanten sechs Gängen gerade einmal drei fertig bekommen. »Es reicht eben nicht, eine türkische Freundin zu haben, um türkisch kochen zu können«, witzelte ich am Telefon. »Aber keine Sorge«, sagte ich lässig, »ich helfe dir.«

Ich fuhr zurück in den türkischen Supermarkt, kaufte gefüllte Weinblätter, Blätterteigrollen mit Schafskäse, Joghurt und drei weitere Vorspeisen. Kurz vor Ladenschluss lief ich auf die andere Straßenseite, um noch eine Flasche Prosecco im deutschen Supermarkt zu kaufen, die ich mit Julia trinken wollte, damit sie sich vor ihrem Date noch etwas entspannen konnte. Am Schluss besorgte ich bei meinem Lieblings-Kebapcı Mesut zwei Lahmacun, zwei Portionen Gemüse-Kebab, einen Salat und frisch gebackenes Brot – nun konnte wirklich nichts mehr schief gehen!

Eine halbe Stunde vor ihrer Verabredung stand ich atemlos mit mehreren Einkaufstüten vor Julias Tür und sagte mit unheilverkündender Miene: »Bete schon mal, dass sein blonder Freund solo ist.« Als es an der Tür klingelte, machte ich, dass ich verschwand.

Am nächsten Tag, Mittag war längst vorbei, rief sie mich an. »Es war ein wunderbarer Abend«, schwärmte sie, »und mein neuer Freund war nicht nur von meinen Kochkünsten begeistert.«

12 *Ayşe liebt Hans*

Stefan und ich waren seit einem Jahr ein Paar und wohnten bereits zusammen. Außer meinem Bruder Mustafa, der versucht hatte, Stefan ein Autoradio zu verkaufen, hatte ihn noch niemand aus meiner Familie zu Gesicht bekommen. Ich fand, dass das erst einmal reichte. Dann jedoch, es war ein Sonntag und ich sortierte gerade meine Schuhe, kam der Wunsch plötzlich von Stefan selbst: »Ich würde gerne deine Eltern kennen lernen.«

Das kam sehr überraschend für mich, denn noch nie wollte einer meiner Freunde meiner Familie vorgestellt werden. Auch ich umging das Thema immer weitläufig und hatte nicht die Absicht, etwas daran zu ändern. Ich liebte Stefan, aber ein Besuch bei meinen Eltern hätte dazu geführt, dass binnen einer Woche unser Leben auf den Kopf gestellt worden wäre. Meine Mutter hätte entweder sofort mit den Hochzeitsvorbereitungen begonnen oder versucht, mir Stefan auszureden, wenn er ihr als Schwiegersohn nicht gut genug erschienen wäre.

Wir hatten uns in einer Duisburger Kneipe kennen gelernt, wo er kellnerte, um sein Studium zu finanzieren, und ich trank, um meinen Frust an der Uni zu vergessen. Ich studierte damals Betriebswirtschaft, weil ich dachte, dass man mit einer kaufmännischen Ausbildung nichts falsch machen könne. Außerdem ist das Studium verhältnismäßig kurz, aber die Vor-

lesungen über Makro- und Mikroökonomie sowie Rechnungs-
wesen langweilten mich mehr und mehr.

Wenn dieser blonde deutsche Mann mir nicht ungefragt
immer wieder Sekt (damals trank man in Deutschland noch
keinen Prosecco) auf die Theke gestellt hätte, wäre wahrscheinlich nichts passiert.

Jedenfalls wäre ich nicht ein Jahr später in die Verlegenheit
geraten, ihm erklären zu müssen, warum ich ihn nicht mit zu
meinen Eltern nehmen möchte. Die meisten Männer, die ich
vor Stefan getroffen hatte, waren sehr glücklich über den Um-
stand, dass meine Eltern, vor allem aber meine Brüder, nichts
von ihrer Existenz wussten. Sie glaubten mir nicht, dass die
männlichen Mitglieder meiner Familie völlig harmlos seien,
und hatten abstruse Ängste, mein Vater würde seine Söhne
auf den Liebhaber seiner Tochter hetzen, um die Ehre der Familie wiederherzustellen. Das klingt vielleicht ängstlich und
klischeehaft, aber es passierte tatsächlich – nur nicht in meiner
Familie. Obwohl ich immer wieder beteuerte, dass mein Vater
nichts mehr schätze als seine Ruhe und meine Brüder so gefährlich seien wie zwei Welpen, blieben sie skeptisch – und
lernten meine Familie nie kennen.

Natürlich kam es hin und wieder vor, dass sich deutsche
Jungs in türkische Mädchen verliebten. Man liebte sich zunächst heimlich, und wenn es ernster wurde, brachte man den
Eltern schonend bei, dass man gedenke zu heiraten. Das bedeutete keineswegs zwangsläufig, dass man Ärger mit den
Vätern oder Brüdern bekam. Wichtig war das Versprechen, der
zukünftige Ehemann werde zum islamischen Glauben übertreten. Das besänftigt bis heute jeden türkischen Vater, denn er
ist stolz darauf, dass die Tochter einem Ungläubigen den wah-
ren Pfad aufgezeigt hat. Im Koran steht, dass es die Pflicht
eines jeden Muslim ist, Andersgläubige zum Islam zu bekeh-

ren. Wer zum Islam konvertiert, dem vergibt Allah all seine vorherigen Sünden und schlechten Taten, und der Bekehrende wird mit dem Paradies belohnt.

»Mein Vater wird verlangen, dass wir sofort heiraten«, sagte ich zu Stefan, während ich mein Schuhregal wischte. Ich verschwieg ihm vorsichtshalber, dass auch unser Zusammenleben dann sofort ein Ende haben würde und ich bis zur Heirat wieder in das Haus meiner Eltern ziehen müsste. Es gäbe dann kein Zurück mehr, denn mein Vater duldete bei der Wahl des Ehemannes nur einen Versuch. Wenn Stefan und ich uns irgendwann trennten, wäre jeder Mann, der nach ihm käme, nur noch zweite Wahl. Er würde mir den Rest meines Lebens vorhalten, dass er eine Tochter hat, die ihr Herz alle naselang verschenkt, und er würde jeden Anlass ergreifen, den anderen Mann mit Stefan zu vergleichen. Die Einführung in die Familie musste also gut überlegt sein.

Die größeren Bedenken, die ich hatte, verschwieg ich Stefan jedoch nicht. »Wir werden niemals in einer Kirche heiraten können«, sagte ich und erinnerte ihn daran, dass seine Mutter sehr traurig sein würde, wenn sie erfährt, dass keine kirchliche Trauung möglich sei. Doch Stefan ließ sich nicht beirren, auch nicht, als ich darauf hinwies, dass unsere Kinder nicht getauft würden, er zu Weihnachten keine Geschenke von meinen Eltern bekäme und die nächsten Jahre kiloweise Grillfleisch im Garten meines Vaters zubereiten müsse. Es half nichts, er bestand darauf, meine Eltern zu treffen.

Mir blieb nichts anderes übrig, und ich griff zum allerletzten Notanker: »Du musst zum Islam übertreten, das heißt, du musst dich beschneiden lassen«, sagte ich. »Daran führt kein Weg vorbei. Ein unbeschnittener Mann kommt für meinen Vater als Schwiegersohn niemals in Frage.«

Stefan schwieg. Mit so hohen Hürden hatte er nicht gerechnet. Er wusste, dass ich meinen Eltern bisher keinen Mann vorgestellt hatte, aber er dachte, das habe daran gelegen, dass meine vorherigen Beziehungen nur oberflächlicher Natur gewesen seien. Ein Besuch bei meinen Eltern war für ihn ein Liebesbeweis, die Gewissheit, dass ich es diesmal ernst meine.

Ich schlug ihm vor, ihn erst einmal meinen Geschwistern vorzustellen, den beiden, die in Deutschland leben. Er kannte sie bislang nur von Erzählungen und Fotos. Er war einverstanden, und wir luden Ablam und Elif in unsere Duisburger Wohnung ein. Stefan besorgte Pflaumenkuchen, ich kochte Kaffee, und der Besuch verlief ohne Komplikationen. Meine große Schwester erzählte peinliche Geschichten aus meiner Kindheit, und das Wort Hochzeit fiel nicht ein einziges Mal.

Dann reisten wir gemeinsam in die Türkei, um ihn meiner dritten Schwester vorzustellen. Ich hatte das schmale Zeitfenster abgepasst, in dem meine Eltern mit Sicherheit nicht dort sein würden. Um uns zu erholen, lagen wir den Tag über am Pool eines Luxushotels in Çeşme und zum Essen fuhren wir häufig zu unserer Schwester.

Eines Abends saßen wir in ihrem Garten, und kurz nach der Vorspeise fragte Fatma, ob wir schon einen Termin hätten. Sie meinte nicht den Hochzeitstermin, sondern den Tag, an dem ich Stefan mit meinem Vater bekannt machen wollte. Was aber unweigerlich dasselbe bedeutete. »Wir wollen noch nicht heiraten«, antwortete ich. »Er weiß, dass ihr zusammenwohnt, Ablam hat es ihm vor ein paar Wochen erzählt. Er wartet darauf, dass du es ihm sagst«, erklärte sie. »Worauf wartest du noch?«, sagte sie. »Vater hat sich gerade einen neuen Mercedes gekauft, besser wird seine Laune nicht.«

Mir lief es heiß und kalt den Rücken herunter. Jetzt blieb mir keine Wahl – ich musste Stefan meinem Vater vorstellen, sobald wir wieder in Deutschland waren. Ich wusste jetzt, dass mein Vater es wusste, und es hätte nicht lange gedauert, bis er wiederum von Ablam erfahren hätte, dass ich wusste, dass er darauf wartet, dass ich es ihm sage. Ich hätte die Tatsache, dass er wusste, dass ich es weiß, ignorieren können, aber das hätte bedeutet, dass er mir bei jedem Besuch in der Vatersprache zu verstehen gegeben hätte, dass er es weiß.

An unserem letzten Tag in der Türkei saßen Stefan und ich am Strand, tranken Bier aus der Dose und schauten den Fischern zu, wie sie mit ihren Booten und prall gefüllten Netzen zurück in den Hafen fuhren.

»Wird er mich mögen?«, fragte Stefan.

»Klar, wenn du dich beschneiden lässt.«

Er schwieg für einen Moment, schaute hinaus auf das Meer und fragte: »Wer würde es machen?«

»Meine Brüder hat unser Dorf-Imam beschnitten, aber du könntest auch ins Krankenhaus gehen«, sagte ich und machte eine Pause. »Außerdem hat es auch aus medizinischer Sicht seine Vorteile«, fügte ich hinzu.

Er schwieg wieder einen Moment und sagte:

»Gut, ich mache es.«

Auf dem Rückflug erzählte ich Stefan, wie wir vor vielen Jahren »sünnet düğünü«, das Beschneidungsfest meines Bruders Mehmet in unserem Dorf gefeiert hatten. Er war fünf Jahre alt und sah sehr niedlich aus in seinem mit Hunderten von Pailletten bestickten Gewand, der turbanähnlichen Mütze, der roten Schärpe und einem Plastikzepter in der Hand. Dabei saß er auf den Schultern meines Onkels und beobachtete neugierig das bunte Treiben um ihn herum. Das ganze Dorf war auf den Beinen und begleitete seinen Weg mit »davul« und »zurna«, den Trommeln und Holztrompeten bis in unser Haus. Meine Schwestern und ich schwenkten türkische Fahnen, und während Mehmet sich auf den Schultern meines Onkels wog, jubelte ihm das ganze Dorf zu.

Zu Hause wurde mein Bruder auf einer Art Thron platziert, auf dem er aussah wie ein kleiner König. Zunächst lachte er dort oben noch, bis mein Vater ihn auf das geschmückte Bett legte und ihm seine Superman-Unterhose herunterzog. Dann kam der Imam zur Sache. Er nahm die Vorhaut zwischen die Finger, hielt sie am oberen Stück zusammen, legte sein Messer an und führte unter den Augen der Verwandten schnell den Schnitt aus. Jetzt verging Mehmet das Lachen, der Imam hielt das Hautstück in die Luft, mein Bruder heulte, und alle riefen »maşallah«, was bedeutet, »wie es Allah gewollt hat«. Anschließend bekam Mehmet einen Verband, und schon eine Woche später spielte er wieder draußen mit seinen Freunden.

»Ein Mann gilt in unserer Kultur erst als ein richtiger Mann«, sagte ich zu Stefan, »wenn er beschnitten ist.« Zur Belohnung für die Tapferkeit gebe es zumindest sehr viele Geschenke. Und wenn er wolle, könne ich ihm für seine Beschneidung eine paillettenbesetzte Generaluniform in seiner Größe besorgen. Er wurde ein wenig blass um die Nase, als ich ihm erzählte, dass der Imam die Beschneidung ohne Betäubung vorgenommen hatte. Aber er brauche sich keine Sorgen zu machen, fügte ich hinzu. Diese Zeiten seien längst vorbei.

Mir war es im Grunde egal, ob Stefan beschnitten ist oder nicht, und natürlich hätte ich Stefan nicht den Laufpass gegeben, wenn er weiterhin unbeschnitten geblieben wäre. Aber es war nur ein kleiner Schnitt, und er kommt einem Akt der Völkerverständigung gleich.

Stefan seinerseits hatte mich seinen Eltern schon acht Wochen, nachdem wir zusammen waren, vorgestellt. Er lud mich zum traditionellen Familien-Osterfrühstück ein. Seine Eltern wohnten in einem prachtvollen, riesigen Haus am Stadtrand von Duisburg, umgeben von einem Garten, so groß wie das Weizenfeld meines Großvaters in der Türkei. Als wir vor dem Tor hielten, fühlte ich mich ein wenig wie Aschenputtel und fragte mich unweigerlich, warum Stefan sein Studium mit einem Kneipenjob finanzieren musste. Später fand ich heraus, dass er sich und den Eltern damit beweisen wollte, dass er auch selbst Geld verdienen kann.

Als wir die Hofeinfahrt hochfuhren, lief ein riesiger Hund laut bellend auf das Auto zu. Stefan stieg aus, ich blieb sitzen. Und am liebsten wäre ich für immer dort sitzen geblieben, denn so groß hatte ich mir den Familienwachhund wirklich nicht vorgestellt. Seit ich mit sechs Jahren einmal von einem Hund gebissen wurde, habe ich panische Angst vor Hunden. Castor, so hieß das Tier, freute sich offensichtlich sehr, Stefan zu sehen, er sprang an ihm hoch und leckte sein Gesicht. »Komm«, rief Stefan, »der tut nichts.« Mit pochendem Herzen – nicht nur wegen des Hundes – stieg ich aus.

In diesem Moment öffnete sich die Haustür, und Stefans Mutter kam auf uns zu. Sie war elegant gekleidet, hatte frisch gelegte blonde Haare, die selben blauen Augen wie Stefan und lachte mir freundlich entgegen. Ich fühlte mich gleich zu ihr hingezogen.

»Hallo, ich bin Hatice«, sagte ich und überreichte ihr verlegen den gelben Osterstrauß, den Stefan gekauft hatte. Damit ich nichts falsch mache, hatte ich ihn gebeten, die Blumen zu besorgen. »Schön, Sie kennen zu lernen. Kommen Sie doch herein«, antwortete sie und führte uns ins Wohnzimmer. Dort saß Stefans Vater auf dem Sofa und las Zeitung. Er erinnerte mich ein wenig an meinen Vater, der auch immer so vertieft auf dem Sofa sitzt, allerdings in seinen islamischen Abreißkalender. Als Stefans Vater mich sah, stand er höflich auf, um mich zu begrüßen. Nun konnte ich sehen, wie groß und sportlich gebaut er war. Stefan musste die Statur von ihm geerbt haben.

»Hallo, schön, Sie kennen zu lernen«, sagte auch er und gab mir die Hand.

»Ganz meinerseits«, antwortete ich und dachte daran, dass ich es schon immer schrecklich fand, wenn Leute mit »ganz meinerseits«, antworteten. Aber mir fiel, ehrlich gesagt, keine bessere Antwort ein, außer vielleicht »Sie sehen ja genauso gut aus wie Ihr Sohn«, und das erschien mir dann doch unpassend.

Stefan setzte sich neben mich und nahm meine Hand. Das irritierte mich ein wenig, und ich zog sie schnell weg. Nie würde ein türkischer Sohn vor den Eltern Zärtlichkeiten mit der Ehefrau oder Verlobten austauschen. Das ist absolut tabu. Ebenfalls tabu ist es, sich in der Öffentlichkeit zu küssen, was ich auch niemals tun würde, außer ein Mann überrascht mich ganz plötzlich mit einem Kuss. Da bin ich sehr türkisch.

Stefans Vater bemühte sich, auf mich zuzugehen, und erzählte mir, dass er vor einigen Jahren mit seiner Frau in der Türkei im Urlaub gewesen sei. Er schwärmte von Pamukkale, wo sie sich die weißen Sinterterrassen angeschaut hatten, die von weitem wirken, als seien sie mit Schnee bedeckt. Er erzählte von dampfenden Thermalquellen und von Tropfsteinhöhlen. »Ja, die Türkei ist ein schönes Land«, sagte ich, weil mir nichts Besseres einfiel.

Während der Vater mir weitere Höhepunkte meines Heimatlandes beschrieb, kam Stefans Bruder Michael herein. Wir begrüßten uns und setzten uns an den gedeckten Frühstückstisch. Stefans Mutter hatte zartgelbe Tulpen und ein paar Weidenruten in eine Vase gegeben, bunt bemalte Eier an die Weiden gehängt und den Tisch festlich geschmückt. Wir verbrachten den ganzen Tag bei Stefans Familie, nachmittags aßen wir Kuchen, anschließend gingen wir alle gemeinsam

spazieren, und am Abend servierte seine Mutter das Oster-
lamm, einen zart gegarten Braten. Bis spät nachts saßen wir
beisammen, tranken Cognac, und Stefans Vater, der schon ein
bisschen betrunken war, erzählte immer noch schwärmerisch
von seinen Erlebnissen aus der Türkei.

Ich fühlte mich sehr wohl, obwohl mir auffiel, wie anders
es bei uns zu Hause ist. Während meine Mutter ständig in die
Küche rennt und neue Speisen und Getränke serviert, saß Stefans Mutter ruhig und gelassen mit am Sofatisch und unter-
hielt sich mit uns. Und wo mein Vater meine Freunde mit Fragen zu Beruf und Werdegang bombardieren würde, hatte
Stefans Vater ein neutrales Thema gewählt, von dem er an-
nahm, dass es mich interessieren könnte, und stellte möglichst
keine persönlichen Fragen. Für mich, die ich nur das lebhafte
Durcheinander mit ständigem Kommen und Gehen innerhalb
meiner Familie kenne, war es ungewohnt zu beobachten, in
welch geordneten Bahnen dort alles verlief.

Und dann kam endlich der große Tag, an dem ich Stefan
feierlich meinen Eltern vorstellen wollte. Noch auf dem Weg
dorthin erzählte ich ihm aufgeregt von meinem Vater, der mir
nicht nur seinen Namen, sondern auch seine türkische Seele
vererbt hatte. Ich berichtete, dass er ein sehr liebenswerter
Mann mit großem Herzen sei, nur manchmal fiele es ihm
schwer, das auch zu zeigen. Er sei ein wenig stur, und es gebe
Leute, die sogar Angst vor ihm hätten. Aber im Grunde sei er
großzügig und – was ich besonders an ihm liebte – ein wunderbarer Geschichtenerzähler. Früher seien es meine Geschwister
und ich gewesen, die sich stundenlang die alten Geschichten
aus seinem Dorf anhören mussten, später unsere deutschen
Freunde und Nachbarn. Mittlerweile habe es sich gelegt, denn
es gebe kaum noch Menschen, die seine Geschichten nicht
kannten.

Nur die Geschichte, wie er zu seinem Namen gekommen sei, die erzähle er immer noch jedem. »Akyün«, erklärte ich Stefan, »bedeutet übersetzt ›reine Wolle‹«. Ich konnte die Geschichte bereits im Schlaf erzählen, so oft hatte ich sie von meinem Vater gehört. »Früher hatten die Türken keine Nachnamen. Um das zu ändern, fuhren Beamte aus den Städten auf das Land. Sie zogen durch die anatolischen Dörfer und gaben jedem feierlich einen Nachnamen. Auch in das Dorf meines Vaters kam ein Beamter, und alles versammelte sich auf dem Marktplatz. Mein Großvater kam zu spät, weil er sich noch um seine Schafherde kümmern musste. Es war Winter, und er trug einen weißen Wollpullover, den meine Großmutter ihm gestrickt hatte. Als er schließlich auf dem Marktplatz ankam, rief einer der Dorfbewohner: ›Da kommt Talip‹, denn so hieß mein Großvater mit Vornamen, ›die reine Wolle‹ Alle lachten, aber der Beamte nahm den Landsmann beim Wort und verlieh der Familie meines Vaters den Namen Akyün.«

»Schöne Geschichte«, sagte Stefan. »Und was gibt es über deine Mutter zu erzählen, das ich noch nicht weiß?«

Bisher kannte Stefan nur das Essen meiner Mutter, das ich ihm in Dosen von den Besuchen bei meinen Eltern mitgebracht hatte. Ich hatte ihm zwar vorher schon von ihren Kochkünsten erzählt, hatte berichtet, dass sie Kopftuch trägt und immer Recht hat, aber ich wollte nicht zu ausführlich werden, weil ich Stefan erst allmählich mit den Eigenarten meiner Familie vertraut machen wollte. »Meine Mutter hat eine scharfe Zunge, ihr Temperament ist stadtbekannt, die meiste Zeit verbringt sie in der Küche, und für eine türkische Frau ist sie sehr ungehorsam«, sagte ich. Ich wüsste nicht, wie mein Vater das mit seiner türkischen Ehre vereinbare, aber sie hätte bei uns schon immer die Hosen angehabt. Irgendwie scheinen sich die beiden darauf geeinigt zu haben, dass meine Mutter alles entscheidet, vor den Verwandten jedoch so tut, als sei mein Vater der Mann im Haus. Es scheint zu funktionieren, immerhin sind sie seit fast fünfzig Jahren verheiratet.

Ich erzählte Stefan, dass meine Mutter sehr rabiat wirken könne, zumindest, wenn man sie schimpfen höre. Handgreiflich wird sie nie, es regnet höchstens ein paar Ohrfeigen, aber wenn sie ihre Kinder zurechtweist, klingt es mitunter ziemlich rabiat. »Ich breche dir alle Knochen«, sagt sie dann beispielsweise. Wenn ich mich mit meinen Geschwistern zu lange auf Deutsch unterhalte, schimpft sie: »Mögen Hummeln eure Zungen stechen.« Und wenn wir fluchen, bekommen wir zu hören: »Ich zerreiß euch eure Münder.« Manchmal wird sie sehr böse, dann sagt sie: »Allah soll euch das Leben nehmen.« Aber sie meint es nicht so.

Während ich das alles erzählte, näherten wir uns der Straße, in der meine Eltern wohnen. Als wir vor dem Haus standen, bekam ich plötzlich ein mulmiges Gefühl. Was, wenn mein Vater Stefan nicht mag, egal ob er sich beschneiden lässt oder nicht? Was, wenn er sich mitten im Gespräch zum Beten verabschiedet und so lange wegbleibt, bis wir gegangen sind?

In dem Anzug, den Stefan sich für den Besuch gekauft hatte, sah er umwerfend aus. Er füllte ihn mit seinen ein Meter neunzig perfekt aus, sein Haar glänzte in der Herbstsonne, und er strahlte über das ganze Gesicht. In der Hand hielt er eine Familienpackung Ferrero Rocher. Ablam hatte uns angerufen und gesagt, dass wir meiner Mutter nur Rocher-Kugeln mitbringen dürften. »Auf keinen Fall Mon Cherie oder Ferrero Küsschen«, schrie sie ins Telefon. Die einen enthielten Alkohol und würden deshalb sofort im Müll landen, und die Küsschen könnte sie falsch verstehen. Eigentlich konnte nichts schief gehen.

Stefan drückte die Klingel, und ein fanfarenartiger Laut ertönte. Mein Vater schien die Klingel ausgewechselt zu haben.

Bei meinem letzten Besuch noch hatte die Türglocke gezwitschert wie ein liebliches Vöglein. Fast zeitgleich öffnete meine Mutter die Haustür. Natürlich hatte sie uns beobachtet, die Wohnzimmergardine bewegte sich noch. Stefan hielt ihr die Rocher-Kugeln hin und sagte: »Meerrhabba.« Die Begrüßung hatte ich ihm im Auto beigebracht. Meine Mutter runzelte die Stirn und antwortete: »Gut Tage«, gab ihm die Hand und zog ihn ins Haus. Im Flur zeigte sie auf seine Schuhe und sagte: »Schuh ausziehen Sie«, was Stefan gehorsam tat. »Komm«, sagte meine Mutter dann und führte uns Richtung Wohnzimmer. Durch das Milchglasfenster der Wohnzimmertür konnte ich bereits die Umrisse meines Vaters erkennen. Meine Mutter öffnete die Tür, und helles Licht drang heraus. Auch nachdem wir in das Zimmer getreten waren, nahm mein Vater keine Notiz von uns. Er las seelenruhig die Seite des islamischen Abreißkalenders zu Ende. Erst als meine Mutter sich laut räusperte, blickte er auf, warf Stefan einen flüchtigen Blick zu, nahm mich in den Arm und rief »Kızıım« und küsste überschwänglich meine Augen.

Stefan sagte mit lauter Stimme »Meerrhabba«, aber mein Vater ignorierte ihn standhaft.

»Baba, das ist Stefan«, sagte ich, als ich mich endlich aus seiner Umarmung lösen konnte. »He he«, antwortete er und drückte mich wieder an sich. Damit die beiden Männer auf dem Sofa nebeneinander Platz nehmen konnten, trat ich schnell neben meine Mutter. Stefan war fast zwei Köpfe größer als mein Vater. »Akyün«, sagte mein Vater endlich und gab Stefan die Hand, und Stefan verzog das Gesicht zu einem »autsch«.

Mein Vater wies auf das Sofa. Stefan rührte sich nicht. »Setz dich«, sagte ich zu Stefan und überlegte noch, wie ich die Konversation aufrechterhalten konnte, als meine Mutter Stefan schon fragte: »Sie mag Baklava?«

»Oh, ja, sehr«, antwortete er, obwohl er das »pappsüße Zeug« eigentlich hasste und beim letzten Mal geschworen hatte, es nie wieder zu essen. Meine Mutter stand auf und verschwand in die Küche. Zu dritt saßen wir nun da und schwiegen.

»Was Sie arbeiten?«, fragte mein Vater plötzlich. Stefan war ein wenig überrascht und schaute zu mir. »Er studiert«, antwortete ich, und Stefan fügte hinzu »Elektrotechnik«. Seit ich denken kann, wünscht sich mein Vater einen Ingenieur als Schwiegersohn. Monatelang hat er versucht, mich mit einem entfernten Verwandten zu verkuppeln, der in München Maschinenbau studierte. Er fände es sehr praktisch, einen Ingenieur in der Familie zu haben, der ihm bei Reparaturen zur Hand gehen könnte. Doch bisher reichte es bei seinen Schwiegersöhnen nur für einen Automechaniker und einen türkischen Beamten.

»Elektrotechnik«, wiederholte er und lächelte zufrieden.

Meine Mutter kam mit einem Blech Baklava in den Händen zurück und stellte es auf den Tisch. Ich war erleichtert. Solange sie dabei ist, dachte ich, wird seine Befragung sicher freundlicher ausfallen.

»Mein Tochter sehr gute Tochter, ich immer viel lieben«, sagte er und schaute stolz zu mir.

»Ja, sehr«, antwortete Stefan.

Schweigen.

»Genug Geld verdienen?«, fragte er.

»Es reicht.«

»Du viel Hunger bestimmt«, unterbrach meine Mutter und stellte vier Dessertteller auf den Tisch.

»Baklava bei uns essen, wenn schöne Tag«, sagte sie und verschwand wieder in die Küche, um den Tee zu holen.

Meine Mutter musste einen ganzen Tag in der Küche gestanden haben, um den Honigkuchen zuzubereiten. Für ein Blech werden fünfundzwanzig hauchdünne Teigplatten ausgerollt, und bevor man sie aufeinanderschichtet, wird der Zwischenraum mit feingehackten Nüssen gefüllt. Anschließend wird das Gebäck Dutzende Male mit Zuckerwasser beträufelt, bis Teig und Nüsse sich vollgesogen haben. Baklava ist die Krönung der türkischen Zuckerbäckerei, und man benötigt so viel Zeit und Geduld, dass selbst meine Mutter sie nur ganz selten zubereitet.

»Vater und Mutter was arbeit?«, fragte mein Vater weiter.

»Meine Mutter ist Hausfrau, und mein Vater arbeitet in einer Bank.«

Schweigen und Lächeln.

Mein Vater legte ein Stück Baklava auf Stefans Teller und sagte: »Afiyet olsun, türkisch gute Appetit.«

Zufriedenes Schweigen.

Wir kauten unser Baklava, Stefan murmelte höflich zwischen den Bissen: »Hmmh, sehr lecker.«

Nach einer Weile legte mein Vater seine Gabel zur Seite, bäumte sich auf, so gut ein Mann, der ein Meter achtundsechzig ist und auf einem Sofa neben einem ein Meter neunzig großen Mann sitzt, sich eben aufbäumen kann, und fragte streng:

»Oğlum (mein Sohn), kannst du Tochter versorgen?«

»Baba«, rief ich und schaute hilfesuchend zu meiner Mutter.

»Schmecke?«, fragte meine Mutter und füllte die Teller erneut.

Plötzlich stand mein Vater auf, ging aus dem Wohnzimmer und blieb eine Weile verschwunden. Einen Moment lang schien die Zeit stehen zu bleiben.

»Siehst du, es läuft doch alles gut«, flüsterte Stefan mir zu.

»Nichts ist gut, er ist beten gegangen«, fauchte ich verzweifelt.

Aber ich irrte. Kurze Zeit später war mein Vater wieder da, in der Hand eine silberne Schüssel mit Datteln, und stellte sie auf den Tisch. »Bitte, probiere«, sagte er und hielt Stefan die Früchte hin. Das war das Zeichen für Entspannung. Mein Vater hat immer eine Packung Datteln für ganz besondere Anlässe im Schrank versteckt. Er sagt, »ein Haus, in dem es keine Datteln gibt, ist arm.«

Eine Stunde später stand ich mit meiner Mutter in der Küche und beobachtete, wie mein Vater Stefan Fotoalben zeigte. Ich als Kind, mein Vater als junger Mann, meine Mutter als Braut, Urlaub in der Türkei, die Hochzeiten meiner Schwestern und alle seine Autos. Später unterhielten sie sich noch über Fußball, wobei mein Vater ihn davon überzeugen wollte, dass die Türken nicht nur besser Fußball spielen als die Deutschen, sondern auch als die Brasilianer und Argentinier. Sie bekämen nur nicht die Chance, ihr Können unter Beweis zu stellen, weil alle Schiedsrichter gegen die Türken pfeifen würden.

»Ja, das ist sehr unfair«, sagte Stefan ernst.

Vier Wochen später bogen wir erneut in die Straße meiner Eltern. Stefan hatte sich mittlerweile im Krankenhaus unter örtlicher Betäubung beschneiden lassen. Nach einer Woche war die Wunde verheilt, und wir konnten wieder spielen. Die Nachricht von der Beschneidung hatte sich unter meiner Familie in einer Art Stille Post verbreitet. Ich erzählte es Ablam, Ablam erzählte es meiner Mutter und die meinem Vater.

Als wir den Weg von der Straße entlangkamen, wartete meine Mutter bereits an der Haustür, um uns zu begrüßen. Sie hatte sich fein herausgeputzt, trug Ablams Kenzo-Kopftuch und hatte die Enden ausnahmsweise mit einer goldenen Nadel an ihrem Hinterkopf befestigt. Ihre schwarzen Augen strahlten. »Hoşgeldin«, was so viel wie »komme fröhlich« bedeutet, rief sie Stefan zu und schloss ihn mit einem lang gezogenen »Ooğluuum« (mein Sohn) in die Arme. Amüsiert beobachtete ich, wie Stefan sich mit Schnittblumen in der einen und Rocher-Kugeln in der anderen Hand zu ihr herunterbückte, um ihr seine Wangen für die Küsse hinzuhalten. Mich würdigte meine Mutter keines Blickes. Alles drehte sich nur noch um Stefan.

Mein Vater hatte sich ebenfalls in Schale geworfen. Er trug eine dunkellila Hose, eine Weste und ein rosafarbenes Hemd, das er mit einer rosa-grau gestreiften Krawatte kombiniert hatte. Er war frisch rasiert, sein Schnurbart perfekt zurechtgeschnitten, und sogar seine buschigen Augenbrauen hatte er in Form gebracht. Das nachtschwarze Haar hatte er mit Brisk Haarcreme zurückgekämmt, und ich roch das Irish Moos Aftershave, das er schon benutzt, seit er in Deutschland ist.

Er saß wie immer auf dem Sofa und war in seinen islamischen Abreißkalender vertieft. Unweit davon hatten Ablam, Elif, Mehmet und Mustafa Platz genommen. Als mein Vater Stefan erkannte, stand er auf, rief ebenfalls »Ooğluuum« und nahm ihn herzlich in die Arme. Dabei blitzten die weißen Zähne in seinem strahlenden Gesicht. Auch er ignorierte mich vollständig. »Du setzen«, sagte er zu Stefan und verscheuchte gleichzeitig mit einer Handbewegung Mustafa, damit der Gast den Ehrenplatz in der Mitte des Sofas bekam. Mein blonder Freund setzte sich mitten zwischen meine vielen schwarzhaarigen Geschwister. Alle starrten Stefan an, als sei er gerade mit seinem Raumschiff in unserer Sofalandschaft gelandet. Dann bombardierten sie ihn mit Fragen. Mehmet interessierte sich für sein Studium, weil er auch später Elektrotechnik studieren wollte, Ablam erkundigte sich, ob er noch Geschwister habe, Elif wollte wissen, ob er einmal zu ihr kommen könne, um ihre Satellitenschüssel in Ordnung zu bringen, und meine Mutter lud gleich für das nächste Wochenende Stefans Eltern zu uns ein. Nur mein Vater fragte nichts, sondern schaute zufrieden zu mir.

Wir saßen noch lange an diesem Herbsttag zusammen, lachten, plauderten und aßen. Meine Mutter hatte mein Anliegen offenbar ernst genommen und mit meinem Vater darüber gesprochen, dass wir mit der Hochzeit noch warten wollten. Ich hatte zwar keine Hoffnung, dass mein Vater dies zulassen würde, aber einen Versuch war es wert. Und siehe da, meine Mutter setzte sich durch. Ich weiß nicht, wie sie es angestellt hat, aber mein Vater war schließlich der Ansicht, dass Stefan erst sein Studium abschließen solle, bevor er mich heiraten dürfte.

Trotz dieser glänzenden Vorlage ging unsere Beziehung zwei Jahre später in die Brüche. Wir hatten beide viel, vielleicht zu viel, gearbeitet, uns ganz auf unsere Ausbildungen konzentriert, und wenn wir uns abends sahen, waren wir so müde, dass wir kaum mehr miteinander sprachen. Dann ging Stefan für ein Jahr in die USA, um dort ein Praktikum zu machen, und als er nach einem Jahr zurückkam, hatten wir uns auseinander gelebt. Für uns beide war die Trennung, bei allem Pragmatismus, eine Tragödie, aber sie verlief ganz nach geordneten, deutschen Verhältnissen: ohne verletzte Ehren, ohne Morde, ohne Tote.

Meine Familie hat all die Jahre gehofft, dass wir wieder zueinander finden würden, wenn wir erst unseren Platz im Leben gefunden hätten. Insgeheim habe ich es auch gehofft. Bis zu jenem Sommertag im vergangenen Jahr, als ich in meinem Briefkasten eine Karte fand, auf der stand: »Wir heiraten«. Stefan hatte eine andere Braut gefunden.

13 *Sie sprechen aber gut Deutsch*

Mit dem Thema Diskriminierung kann meine Mutter nichts anfangen. Wie sollte sie auch, sie kann das Wort ja nicht mal aussprechen. Sie fühlt sich nicht diskriminiert, wenn eine Verkäuferin ihr ins Ohr brüllt: »Du nix anfassen«, weil sie in die Schaufensterauslage gegriffen hat, um die Materialbeschaffenheit einer Bluse zu prüfen. Meine Mutter reagiert gar nicht und sagt dann nur: »Kein gut Qualität.«

Ich dagegen fühle mich sehr wohl diskriminiert und reagiere höchst deutsch in solchen Momenten. Ich frage die Verkäuferin höflich, ob sie den Satz bitte noch einmal grammatikalisch korrekt formulieren könnte, mache sie darauf aufmerksam, dass ihr Benehmen ausländerfeindlich sei, und fordere sie auf, sich bei meiner Mutter zu entschuldigen.

Meiner Mutter ist mein Verhalten sehr peinlich. Sie schaut die Verkäuferin entschuldigend an, nimmt meinen Arm und zieht mich weiter. Das macht mich nur noch wütender, so dass ich mich umdrehe und der Verkäuferin noch zurufe: »Hätten Sie mal Abitur gemacht, dann müssten Sie jetzt nicht hier stehen!« Dann sagt meine Mutter: »Jetzt hast du dich auf ihr Niveau herabgelassen. Ich dachte, du wärst klüger.«

Dabei habe ich es selbst erst ab Mitte Zwanzig gemerkt, dass ich diskriminiert wurde. Bis dahin lebte ich eigentlich ganz gut mit dem Exoten-Bonus. In der Grundschule bin ich einmal mit Diskriminierung in Berührung gekommen, aber das war mir damals nicht wirklich bewusst, und ich löste das Problem auf meine Weise. Es geschah im Sportunterricht, als unsere Lehrerin verkündete, dass alle Kinder sich jetzt an den Händen nehmen sollten, um einen Kreis zu bilden. Ich griff nach der Hand von Manuela Krämer, die neben mir stand, aber sie zog sie weg. Die Lehrerin befahl Manuela, meine Hand zu nehmen, worauf sie antwortete: »Meine Mama hat gesagt, Türken stinken.«

Die Lehrerin wurde böse, griff nach Manuelas Linken und meiner Rechten und führte sie zusammen. Am Ende des Spiels ließ Manuela meine Hand los, führte sie theatralisch an ihre Nase, roch daran und verzog das Gesicht. Da hörte der Spaß für mich auf. Türkisch sein und stinken waren für mich zwei unterschiedliche Dinge. Nach Schulschluss wartete ich auf sie vor dem Schultor und verpasste ihr eine ordentliche Tracht Prügel.

Als Teenager hatte meine türkische Herkunft für mich nur Vorteile. Mit Anfang zwanzig kam ich an jedem Disko-Türsteher im Ruhrgebiet vorbei, weil ich die kürzesten Röcke trug, die Jungs verliebten sich, weil ich das Mädchen mit den Ölaugen und dem Seidenhaar war, meine auch noch so unnötigen Wutanfälle konnte ich mit meinem südländischen Temperament rechtfertigen und durfte mir immer mehr erlauben als meine deutschen Freundinnen. Zum Beispiel stellte ich meinem damaligen Freund einfach die Koffer vor die Tür, weil er mit einer anderen geflirtet hatte. Das fand er klasse und prahlte auf jeder Party damit, wie leidenschaftlich und heißblütig seine Freundin doch sei. Da waren wir quitt: Er hatte den Neid seiner Freunde gewonnen und ich die Legitimation, ihn jederzeit wieder auf die Straße zu setzen.

Während meiner Studentenzeit hatte ich immer die besten

Nebenjobs, denn für Personalchefs war ich ein Phänomen – eine perfekt deutsch sprechende Türkin, die enge Röcke mit hohen Schuhen kombinierte. Ich habe nie verstanden, was daran so phänomenal war, aber ich habe auch nie gefragt. Es lebte sich schließlich finanziell sehr gut als Phänomen.

Schon damals hörte ich oft den Satz: »Sie sprechen aber gut Deutsch.« Nach dem ersten Mal bedankte ich mich noch für das Kompliment, aber nachdem es sich häufte, ging mir der Satz allmählich auf die Nerven. Was ist schließlich so bemerkenswert daran, dass eine junge Frau, die seit über dreißig Jahren in Deutschland lebt, Dativ und Genitiv korrekt anwenden kann und auch noch den richtigen Artikel vor ein Substantiv stellt? »Danke, Sie aber auch!« war einer meiner bevorzugten Abwehrmechanismen. Oder wenn ich schlechte Laune hatte, sagte ich zynisch: »Wahnsinn, was das deutsche Bildungssystem doch alles hervorbringt.«

Andererseits leben meine Eltern ebenso lange wie ich in Deutschland, sprechen aber kaum Deutsch. Wenn ich meine Mutter frage, warum sie kein Deutsch gelernt hat, legt sie die Stirn in Falten und sagt unwillig: »Sechs Kinder habe ich großgezogen. Seid ihr verhungert oder verdurstet, habt ihr gefroren oder gelitten?« Darauf kann ich ihr nichts entgegnen. Oder sie schimpft lautstark: »Dein Vater hat über dreißig Jahre Steuern bezahlt, ohne ein Wort Deutsch zu sprechen, und nun zahlen sogar meine Kinder schon Steuern.«

Mit meinen Geschwistern spreche ich einen Mix aus beiden Sprachen. Wir können in Sekundenschnelle nicht nur von der einen Sprache in die andere wechseln, sondern mengen deutsche Wörter unter unsere muttersprachlichen Sätze, die wir der Grammatik und dem Satzbau des Türkischen anpassen, und erfinden so unsere eigene Sprache: »Ich muss noch akşam yemeği kochen«, sagt Ablam vor dem Abendessen, oder ich frage: »Arabanın Schlüssellini geben yaparmısın« (Kannst du mir bitte den Autoschlüssel geben)? Derlei Sprachkreationen lehnt wiederum meine Mutter strikt ab. Sie besteht darauf, dass in ihrem Haus nur Türkisch gesprochen wird. Wenn ich versuche ihr zu erklären, dass es für meine Zunge nicht einfach sei, ganz auf Deutsch zu verzichten, faucht sie mich an: »Die Zunge hat keinen Knochen. Sie beherrscht die Muttersprache immer!«

Die einen loben mein Deutsch, die anderen fragen mitleidig, ob ich schon Ausländerfeindlichkeit am eigenen Leib erfahren habe. Auch darauf hatte ich lange Zeit nur eine spöttische Antwort, einerseits, weil ich mich in Deutschland nicht wie eine Ausländerin fühle und nicht fühlen möchte, andererseits, weil mir der deutsche Betroffenheitskult auf die Nerven geht. Insbesondere zu der Zeit, als hierzulande alle im Lichter-ketten-Fieber waren. Ich konnte mir genau vorstellen, wie deutsche Mütter gemeinsam mit ihren Kindern auf den Dach-boden kletterten, die Kiste mit dem Aufkleber »Christbaum-schmuck« hervorzogen und Lichterketten gegen Rassismus ins Fenster hängten. Oder sie gingen gleich auf die Straße und zündeten Kerzen an, die sofort wieder ausgingen, weil der Wind sie auspustete. Ich fand diese Aktionen immer ein wenig albern, denn bis dahin hatte ich persönlich nur Vorteile als Türkin gehabt. »Eine Frau im Minirock bleibt eine Frau im Minirock, egal, welcher Herkunft der Po ist, der ihn trägt«, er-klärte ich meinen Freunden gelassen.

Das änderte sich schlagartig, als im Mai 1993 vier Deutsche das Haus einer türkischen Familie in Solingen anzündeten und dabei fünf Türkinnen ums Leben kamen. Am nächsten Mor-gen rief Ablam in meiner Duisburger Wohnung an. »Schalt so-fort den Fernseher ein«, flüsterte sie fassungslos ins Telefon. Schockiert starrte ich immer wieder auf die Bilder, die in Zeitlupe an mir vorbeizogen. Rauchschwaden, das verbrannte Haus, verhüllte Leichen, weinende Männer und Frauen. Die Opfer trugen Namen, die mir wohl vertraut waren: Hülya, Gürsün, Saime, Gülüstan. Eine der Frauen trug sogar denselben Namen wie ich: Hatice. Mevlüde Genç, die Mutter, Tante und Großmutter der Opfer, die den Anschlag selbst überlebt hatte, erinnerte mich sehr an meine eigene Mutter. In diesem Augenblick wurde mir klar, dass es auch meine Familie hätte treffen können, dass die Toten meine Geschwister hätten sein können. Solingen ist nur sechzig Kilometer von Duisburg entfernt.

Ich kannte die Familie nicht, doch der Schmerz über ihr Schicksal lähmte mich so, dass ich vor dem Fernseher hockte und weinte. Dann griff ich kurzentschlossen nach meiner Tasche und fuhr nach Solingen. Vor dem Blumenmeer blieb ich stehen, sank in die Knie und öffnete meine Arme zum Gebet. Nach fast fünf Jahren betete ich zum ersten Mal wieder. Ich sprach die Suren aus dem Koran, die mein Vater uns beigebracht hatte. Ich hatte geglaubt, ich hätte sie längst vergessen.

Als ich nach Hause zurückkam, war es schon dunkel. Ich kramte ein altes weißes Bettlaken heraus, nahm einen dicken Pinsel und schrieb mit roter Farbe »Trauer um die Opfer von Solingen« darauf. Die Os verliefen ein bisschen, sie sahen aus wie Tränen, die aus dicken Augen rinnen. Ich öffnete mein Fenster und klemmte das Laken zwischen die Rahmen. Obwohl ich mich persönlich betroffen fühlte, stieg in mir Scham auf, dieses komische deutsche Gefühl, das mich immer dann überkommt, wenn ich mich öffentlich für etwas einsetze. Es ist schwer zu beschreiben. Man weiß, dass es richtig ist, sich aufzulehnen, und trotzdem kommt es einem übertrieben vor.

In ganz Deutschland bildeten nach dem Anschlag Tausende

von Menschen erneut Lichterketten, die ins Dunkel leuchteten. Ich fand sie nicht mehr albern. Ich musste einsehen, dass es in Deutschland Fremdenfeindlichkeit gibt, dass viele Ausländer – selbst wenn sie schon lange hier leben oder wie die türkischen Gastarbeiter sogar einst ausdrücklich eingeladen wurden, nach Deutschland zu kommen – diskriminiert und abgewiesen werden. Ich musste mir eingestehen, dass auch meine eigene Familie, ja ich selbst jederzeit in Deutschland Opfer von rassistischen Übergriffen werden könnte.

Ich versuche, sachlich damit umzugehen, versuche, nicht zu verbittern oder gar Aggressionen gegen meine deutschen Landsleute zu entwickeln, die ich mir schließlich selbst ausgesucht habe. Ich weiß ja, dass die meisten nichts gegen Ausländer haben. Wichtig erscheint mir, in all meinen journalistischen Beiträgen darauf hinzuweisen, dass Vorurteile grundsätzlich sinnlos sind, dass jeder Mensch ein Individuum ist und dass wir uns kennen lernen müssen, um einander besser verstehen zu können. Und es ist mir ebenso wichtig festzuhalten, dass es viele Menschen türkischer Abstammung gibt, die jetzt und auch in Zukunft in Deutschland leben wollen – nicht nur, weil es ihnen hier wirtschaftlich besser geht oder weil sie hier mehr Geld verdienen können als in den anatolischen Dörfern, aus denen ihre Eltern vor dreißig, vierzig Jahren aufgebrochen sind, sondern weil sie sich hier zu Hause fühlen und Deutschland ihre Heimat ist.

14 Deutsche Ayşe – Deutsche Eiche

Ganz zweifellos habe ich türkische oder im weiteren Sinne südländische Eigenschaften. Auch wenn es nicht gerade die Art ist, wie ich einparke, die Männern zuerst an mir auffällt. Mit feurigen Menüs und aphrodisierenden Desserts kann ich auch nicht verlocken. Ich koche nur sehr selten. Nein, es ist viel einfacher: Sobald ich eine Bar betrete, heften sich die männlichen Blicke zielsicher auf meine Brüste. Das liegt daran, dass ich meine Rundungen nicht verstecke, sondern offenherzig präsentiere. Gerade in Berliner Bars falle ich dekolletiert sofort auf, während sich in Istanbuler Clubs kein Mann nach mir umdreht – für türkische Großstadtverhältnisse bin ich viel zu sehr verpackt.

Als ich mir einen Wonderbra kaufte, klärte mich meine Freundin Julia auf, dass dieser BH für Frauen entwickelt worden sei, die von Natur aus wenig Oberweite hätten. Ich jedoch würde ihn mit meinem anatolischen Busen vergewaltigen. Als ich ihn das erste Mal trug, weigerte sie sich, mit mir auszugehen. Sie sagte, dass ich so ein öffentliches Ärgernis sei, worauf ich konterte: »Ich habe die beste Freundin der Welt. Die einzige Busenfreundin mit zwei Rücken.« So böse war es natürlich nicht gemeint. Julia ist mit ihrem hübschen kleinen Busen zufrieden.

Ich beschwere mich nicht über die Aufmerksamkeit der

Männer, ganz im Gegenteil, ich fühle mich geschmeichelt, wenn sie mir hinterherschauen. Für mich sind Blicke von Männern Komplimente. Und am liebsten sage ich in diesen Situationen: »Jungs, starrt nicht nur, gebt lieber mal ein Bier aus.«

Als ich meinen letzten Freund zum ersten Mal sah, bekam ich weiche Knie, bevor ich auch nur ein Wort mit ihm gewechselt hatte. Es passiert mir höchst selten, dass ein Mann mich beim ersten Blick um den Verstand bringt. Aber diesmal war ich darauf vorbereitet, denn Ablam hatte am Wochenende von mir geträumt und mich Arm in Arm mit einem blonden Mann gesehen. Solche Träume muss man ernst nehmen. Zumindest kommt man nicht darum herum, sie sich anzuhören. Manchmal sitze ich täglich am Telefon und lausche den vielversprechenden Prophezeiungen meiner Familie, und wenn es danach ginge, hätte ich mittlerweile mehr Ehemänner, als ich brauchen kann.

Jedenfalls sah ich auf einer Presseveranstaltung der SPD, zu der ich eigentlich gar nicht gehen wollte, einen großen blonden Mann und dachte unvermittelt an Ablams Traum. Nicht etwa, dass ich erwartet hätte, meinen Traummann bei der SPD zu finden. Aber in solchen Situationen vertraue ich auf das Schicksal oder »kısmet«, wie Ablam sagen würde. Gerade weil es so unwahrscheinlich war, auf dieser Veranstaltung meinem Geliebten in die Arme zu stolpern, wusste ich sofort, dass das Schicksal zugeschlagen hatte.

Während ich also dort stand und an meinem Prosecco schlürfte, trafen sich plötzlich unsere Blicke, und mir wurde schlagartig bewusst, dass ich nur eine alte Jeans trug, nicht geschminkt war und meine Haare, weil ich keine Lust gehabt hatte, sie zu waschen, zu einem schlampigen Dutt geknotet waren. Wenigstens trug ich High Heels. Der Blonde erinnerte mich an den jungen Willy Brandt, nur war er viel blonder. Julia stellte ernüchternd fest: »Der sieht aus wie Angela Merkel, nur ein bisschen femininer.«

Erst Stunden später wurden wir einander vorgestellt, und als wir uns endlich unterhielten, ließ mich meine Feinmotorik prompt im Stich, und ich redete wirres Zeug. Um die Situation zu retten, küsste ich ihn heimlich in der Garderobe. Am nächsten Morgen fragte ich: »Und, kommst du wieder?« Er antwortete: »Ja«, und wir waren ein Paar. Ich mag klare Ansagen.

Die ganze Sache hatte nur einen Haken, und deshalb musste ich ihn leider nach einiger Zeit verlassen. Er erzählte nämlich immer sehr stolz herum, dass er mit einer Türkin zusammen sei. Aber wenn seine Arbeitskollegen überrascht erwiderten: »Mit einer Türkin?«, dann beeilte er sich hinterherzuschieben, dass ich eigentlich Deutsche sei, hier aufgewachsen und ganz anders als die anderen Türken. Es klang immer so, als sei mein Türkischsein ein Makel, für den er sich entschuldigen müsse. Für ihn stand fest, dass Türkinnen Kopftuch tragen, weil sich die Schwester seines einzigen türkischen Klassenkamerads auf dem Gymnasium ein Kopftuch umgebunden hatte. Türkinnen haben keinen Sex, weil sie nach dem islamischen Glauben jungfräulich in die Ehe gehen müssen, sie haben Brüder, die die beschmutzte Ehre der Familie rächen, und sie sprechen schlechtes Deutsch, weil er selbst Verständigungsprobleme mit seinem Gemüsetürken hat.

Es tat mir Leid um ihn, denn abgesehen von seinen festgefahrenen Meinungen war er sehr nett, und er konnte mich zum Lachen bringen. Dennoch, es passte einfach nicht. Die geistigen Schubladen in seinem Kopf machten es ihm unmöglich, einen unvoreingenommenen Blick auf mich zu haben, und so schoben sich seine Klischees vor die Realität. Immer wenn ich ihm klar machen wollte, dass es wie bei Deutschen auch bei Türken die unterschiedlichsten Lebensmodelle gibt, antwortete er hartnäckig: »Aber du bist ganz anders als die anderen Türken.«

Ein weiteres Problem war seine Mutter. Sie wurde nicht müde, bei jedem meiner Besuche darauf zu pochen, dass ich ja gar keine Türkin sei, sondern Deutsche. In gewisser Weise erinnerte sie mich an meinen Vater, für den ich immer seine *türkische* Tochter bleiben werde, obwohl ich mich durchaus auch deutsch fühle. Es nutzte bei ihr auch nichts, zu erwähnen, dass man nicht über Nacht Deutsche werde, nur weil man den Pass, ein weinrotes Büchlein mit goldener Schrift, überreicht bekommen hatte. Aber sie ließ nicht locker und stellte mich bei Familienfesten weiter mit den Worten vor: »Das ist Hatice, aber sie ist Deutsche.«

Um weiteren Fragen nach meiner Herkunft aus dem Weg zu gehen, antwortete ich konsequent: »Ich bin Hatice, Türkin mit deutschem Pass.« Das sage ich übrigens immer, wenn ich nach meinem Herkunftsland gefragt werde. Es ist sofort für jeden klar: Ich bin Türkin, aber erfolgreich integriert.

Vielleicht hätte ich den jungen Willy Brandt mitsamt seiner Sippe doch nicht so schnell aufgeben sollen. So aber stürzte ich an meinem dreißigsten Geburtstag in eine tiefe Krise. Denn an diesem Tag bekam ich von meiner Freundin Julia, die mir bedeutungsvoll ins Gesicht blickte, eine Augencreme geschenkt. Die erste in meinem Leben! Ich lächelte müde. »Oh, danke, wie nett von dir«, sagte ich und dachte: »Jetzt sind die Heiratschancen bei gleichaltrigen deutschen Männern endgültig vorbei.« Die Männer, die mich anzogen, hatten plötzlich Freundinnen, die Mitte zwanzig waren. Und Männer, die mich interessant fanden, waren auf einmal wesentlich älter als ich, manche über vierzig und fünfzig.

Trotzig beschloss ich, nun jeden Tag zum Mittagessen in die Berliner Studentenmensa bei mir um die Ecke zu gehen. Prompt regnete es wieder Aufmerksamkeit und nette Komplimente. Spontan besserte sich meine Laune, und die Krise war schnell bewältigt. Zwar lag das Durchschnittsalter meiner Verehrer bei 22, aber sie hielten mir die Tür auf, trugen mein Tablett oder spendierten mir eine Cola, und mehr als einer von ihnen verliebte sich Hals über Kopf in mich. Ich fragte mich, warum ich nicht schon viel früher auf die Idee gekommen war, denn die Schlange meiner Verehrer wuchs in kürzester Zeit fast so schnell wie die an der Essensausgabe. Ausgerechnet Julia warf mir vor, ich würde die armen Grünschnäbel für die nachkommende Frauengeneration restlos verderben. Ich sei schuld, wenn diese jungen Männer für immer beziehungsgestört seien.

Ich konnte nicht glauben, dass meine deutsche Freundin mir tatsächlich mit solchen Sprüchen kam, zumal sie selber nichts dagegen einzuwenden hat, dass Männer sich wesentlich jüngere Liebhaberinnen nehmen, um ihrerseits ihre Midlife-Crisis zu bewältigen. Was ist verwerflich daran, als Frau einen jüngeren Liebhaber zu haben? Die Jungs von heute sind sowieso viel abgeklärter, als man glaubt. Und im Bett ist es fast unmöglich, ihnen selbst als erfahrene Frau noch etwas beizubringen. Sie wissen zwar nicht, was sie tun, aber dafür tun sie es die ganze Nacht.

Die Einzige, die mich verstand, war meine türkische, ebenfalls unverheiratete Freundin Gül, weil sie dreißig ist, seit ich sie kenne, und sich ständig junge Liebhaber sucht oder – seit einiger Zeit – bevorzugt Liebhaberinnen. Ich lernte sie vor einigen Jahren in einem Berliner Club kennen, der jeden letzten Samstag im Monat eine ganz spezielle Party veranstaltet. Der Abend heißt »Gayhane«, abgeleitet aus der türkischen Bezeichnung »meyhane«(Wirtshaus) und bedeutet also in etwa das »schwule Haus«. Und weil die Stimmung sehr gut ist, kommen immer öfter Heterosexuelle zum Feiern hierher. Gül lebt inzwischen mit ihrer Lebensgefährtin zusammen, und als sie sie ihren Eltern vorstellte, waren sie sehr stolz und erzählten den Verwandten und Nachbarn: »Schaut, *unsere* Tochter ist anständig. Sie arbeitet, hat keine wechselnden Männerbekanntschaften und wohnt mit ihrer besten Freundin zusammen.«

»Mach dir keine Sorgen«, sagte Gül, was meine Krise mit gleichaltrigen Männern anging. »Du wirst immer ein Erotikparadies für die deutschen Männer bleiben.« Ich fand es ein sehr schönes Kompliment, nur leider aus meiner Sicht vom falschen Geschlecht!

Dass ich Türkin bin, würde gar nicht so sehr auffallen, wenn ich nicht einen fremdländisch klingenden Namen hätte. Einer meiner Chefs sagte einmal, dass mein Name gedruckt aussehe, als sei der Redakteur beim Tippen betrunken gewesen. Wie sonst könnte man die Buchstabenkombination meines Namens erklären? Ich habe auch schon erlebt, dass Redakteure einfach das Ypsilon in meinem Nachnamen weglassen, weil sie denken, dass ich mich in der Schreibweise geirrt haben muss. Eigentlich ist das ein starkes Stück und zeugt von einer ungeheuren Überheblichkeit, aber ich bin mir sicher, dass es Unwissenheit ist, nicht Arroganz.

Mein akzentfreies Deutsch lässt schon lange nicht mehr auf meine Herkunft schließen. Manchmal fühle ich mich monatelang nicht ein einziges Mal türkisch. Erst wenn ich neue Menschen kennen lerne, die mich fragen, woher ich komme, reißen sie mich aus meiner deutschen Welt. »Aus Berlin«, antworte ich. »Nein, ursprünglich?« »Aus Duisburg.« Und dann kommt immer die Frage: »Nein, ich meine, wo liegen deine Wurzeln?« Dieser Moment ist dann wieder einmal Anlass für mich, über meine Herkunft nachzudenken. Ich frage mich plötzlich, was türkisch an mir ist und was deutsch? Und wie das eigentlich alles zusammenpasst?

Ich sei, sagt Julia, eine Wanderin zwischen den Welten. Ich finde, dass sich das entsetzlich anhört, und antworte: »Ich bin eigentlich zu faul zum Laufen. Ich sitze lieber, und warum nicht auf zwei Stühlen gleichzeitig?«

Wenn ich meine Situation schon mit einem Bild beschreiben sollte, dann würde ich sagen, ich bin ein Tumblewheat. Tumblewheats sind die Strohgebilde, die man in Westernfilmen manchmal herumfliegen sieht. Sie werden vom Wüstenwind aus ihrer Verwurzelung gerissen und rollen und springen so lange, bis sie dank eines Regengusses irgendwo wieder Wurzeln schlagen. Dann erblühen sie für kurze Zeit, vertrocknen und fliegen weiter ziellos durch die Wüste.

Julia rät mir häufig, ich solle mich auf die Suche nach meiner Identität begeben. Aber ehrlich gesagt fühle ich mich weder in einem Dilemma, noch möchte ich etwas ändern. Ich betrachte mein Leben als großen Reichtum, denn ich habe gleich zwei davon, je nachdem, ob ich mich gerade bei meiner türkischen Familie aufhalte oder in Berlin.

Ähnlich ist es mit der leidigen Kopftuch-Debatte. Meine deutschen Freunde fragen mich, was ich über Kopftücher denke und wie weit meiner Meinung nach das im Grundgesetz verankerte Recht der freien Religionsausübung gelten dürfe. Meine muslimischen Freunde fragen mich, wie es möglich ist, dass das Tragen eines Kreuzes erlaubt sei, das eines Kopftuches aber verboten werden solle. Ich verstehe beide Positionen sehr gut und stelle mich deshalb nicht klar auf die eine oder andere Seite. Ich kann nur für mich persönlich entscheiden, und ich habe beschlossen, dass ich kein Tuch tragen will.

Meine Mutter trägt es, weil sie es nach über sechzig Jahren auf ihrem Kopf nicht einfach abstreifen kann. Es gehört zu ihrem Leben, wie die zahlreichen Mahlzeiten, die sie kocht, um glücklich zu sein. Ablam trägt es, weil sie eine Muslime ist, die ihren Glauben praktiziert. Ich bin eine Türkin, die früher Kopftuch getragen hat und es ablegte, weil sie sich nicht mehr wohl damit fühlte. Das Kopftuch hat auch eine religiöse Bewandtnis. Im Koran steht in Sure 33, Vers 59:

Oh, Prophet, sag deinen Gattinnen und deinen Töchtern und den Frauen der Gläubigen, sie sollen etwas von ihrem Überwurf über sich herunterziehen. Das bewirkt eher, dass sie [als Muslime] *erkannt werden und dass sie nicht belästigt werden.*

Aber auch nachdem ich die Sure gelesen hatte, wollte ich weiterhin kein Kopftuch tragen. Ich sah nicht ein, dass Frauen sich verhüllen und ihre Schönheit verbergen sollen, um damit die Verantwortung für die Männer zu übernehmen, die ihre Phantasien nicht zügeln können.

Zweifellos, es gibt muslimische Mädchen und Frauen, die gezwungen werden, ein Kopftuch zu tragen. Aber es gibt noch mehr Frauen wie Ablam, für die das Kopftuch ein mit Stolz und aus freien Stücken getragenes Symbol ihrer Religionszugehörigkeit ist. Nicht einmal in meiner Familie herrscht Einigkeit darüber, wie sich eine Frau in der Öffentlichkeit zu zeigen hat. Wie sollte sich die gesamte islamische Welt einig sein?

Ablam trägt ein Kopftuch, respektiert aber, dass ich keines trage. Umgekehrt denke ich nicht, dass sie rückschrittlich oder unmodern ist, und schon gar nicht, dass sie unterdrückt wird. Das Kopftuch hat uns nicht entzweit. Wir diskutieren über Religion und Glauben, ohne den anderen zu verurteilen.

Ablam hat zwei Töchter, die ohne Kopftuch aufwachsen, Britney Spears hören und bei McDonald's essen. In ihren Zimmern hängen Poster von Leonardo DiCaprio und dem türkischen Sänger Tarkan. Einmal in der Woche gehen sie in die Moschee, um den Koran zu lernen – mit Kopftuch. Ablam zwingt sie nicht dazu. Sie tun es freiwillig, und wenn sie sich irgendwann gegen das Kopftuch entscheiden, würde sie es respektieren. Ihre Töchter, meine Nichten, kennen auch unterschiedliche Parallelwelten, aber sie tanzen ungestört dazwischen hin und her.

Ich fühle mich in beiden Welten zu Hause, der deutschen und der türkischen, bin weder in der einen noch in der anderen nur Gast und schöpfe aus vollen Zügen aus zwei reichhaltigen Kulturen. Ich bin Hatice, mit all den Erfahrungen, Erlebnissen und Wünschen aus beiden Welten, und ich schätze gerade die Andersartigkeit von Deutschen und Türken.

Meine Eltern hatten nur *eine* Identität, kannten nur eine Welt, als sie nach Deutschland kamen. Sie wussten genau, wohin sie gehörten, in die Türkei. Sie hatten eine Heimat, die sie nur kurzfristig verlassen wollten, um arbeiten zu gehen, Geld zu verdienen. Sie sprachen eine Sprache, ihre türkische Muttersprache, die sie selbst nach vielen Jahren in der Fremde lediglich mit den notwendigsten deutschen Wortfetzen anreicherten, um sich einigermaßen zu verständigen. Und sie hatten nur eine Absicht: Sie wollten ihren Kindern ein besseres Leben ermöglichen. Sie pendelten zwischen zwei Ländern, aber nicht zwischen zwei Welten, denn sie wollten nach ein paar Jahren zurück in die Heimat, das Land, in dem sie geboren und aufgewachsen waren. Schließlich waren sie Gastarbeiter in Deutschland.

Ich meine das nicht vorwurfsvoll, ganz im Gegenteil. Meine Eltern wollten wirklich zurück in die Türkei, aber mit ihren Kindern. Mein Vater sagte: »Sobald das erste Kind im Schulalter ist, gehen wir zurück.« Ablam wurde eingeschult. »Sobald das zweite Kind im Schulalter ist, gehen wir zurück.« Ich wurde eingeschult. Es folgten meine vier Geschwister, aber wer nicht zurückreiste, waren meine Eltern.

Die beiden stehen sozusagen für die gescheiterte Multikulti-Generation. Die Vorstellung einer weltoffenen und multikulturellen Gesellschaft war nur eine Vision, ein Traum der Deutschen. Meine Eltern wollten das nie, sie hatten nie die Absicht, lange in Deutschland zu bleiben. Die Deutschen wünschten sich ein friedliches Miteinander unterschiedlicher Nationalität, Hautfarbe und Religion, sie wollten beweisen, dass die Zeiten von Rassismus und Diskriminierung in ihrem Land für immer vorbei sind, aber die Türken der ersten Generation machten dabei nicht mit. Sie wollten so schnell wie möglich wieder zurück in ihre Heimat.

Beide Seiten merkten viel zu spät, dass ihre Vorstellungen unrealistisch waren. Die einen hatten Angst auszusprechen, dass die Gastarbeiter Deutsch lernen und sich integrieren sollten, die anderen wehrten sich dagegen, ihre Identität preiszugeben, und schotteten sich hinter ihren Traditionen ab.

Schon vor vielen Jahren hätten meine Eltern genug Geld gehabt, um sich in der Türkei ein besseres Leben leisten zu können. Doch selbst nachdem ihr jüngstes und letztes Kind seine Schulzeit abgeschlossen hatte und aus dem Haus war, fanden sie nicht den Zeitpunkt, das Land mit Sack und Pack wieder zu verlassen. Nun ist es zu spät, das Rückfahrtticket einzulösen, denn meine Geschwister und ich haben bereits ein eigenes Leben in Deutschland und würden niemals mit ihnen gemeinsam zurück in die Türkei gehen.

Inzwischen haben meine Eltern einen Kompromiss gefunden: Sie leben sechs Monate in Deutschland und sechs Monate in ihrem Ferienhaus an der türkischen Ägäis, fühlen sich aber dennoch türkisch. So türkisch, wie man sich eben fühlen kann zwischen Krankenkassen-Chipkarten, funktionierenden Zentralheizungen und Mercedes Benz.

Ich dagegen bin zwar Türkin, aber auch Deutsche, Ausländerin, Muslime, Deutsch-Türkin, Journalistin oder ein Miststück, je nachdem, wer mich gerade betrachtet. Und ich empfinde es als Reichtum, diese Widersprüche in mir zu vereinen. Ich trage kein Kopftuch, bin mit fünfunddreißig noch nicht verheiratet, trinke Alkohol und kann bestätigen, dass es tatsächlich Türkinnen gibt, die Sex vor der Ehe haben. Ich bin zu deutsch, um eine Türkin zu sein, und zu türkisch, mich eine Deutsche zu nennen. Mein Vater hört das gar nicht gerne. Er sagt, dass ich dazu nicht viel sagen müsste. Es reiche, wenn ich Türkin im Herzen sei.

»Fühlst du dich deutsch oder türkisch?«, werde ich oft gefragt. Ich kann diese Frage nicht eindeutig beantworten, denn ich schlage immer dort Wurzeln, wo ich gerade glücklich bin. Bis vor einigen Jahren waren sie in Duisburg, dann in Berlin. Irgendwann blühte ich kurz in New York auf, das Jahr darauf in einem türkischen Ferienhotel, wo ich gearbeitet habe, um mein Türkisch aufzubessern. Ein Hans war einmal meine Wurzel, und vielleicht verwurzele ich mich bald in einem anderen Hans, je nachdem, wohin der Wüstenwind mich als Nächstes treibt.

Für mich hat die Frage nach der Identität nichts mit einem bestimmten Ort zu tun, sondern mit einer Lebenssituation. Und die kann eine Stadt, ein Land, ein Mensch oder ein Job sein. Mit türkischen Einflüssen in Deutschland aufgewachsen, kenne ich beide Mentalitäten. Ich drücke mich in der deutschen Sprache aus, denke und träume deutsch. Aber ich schwärme meinen Freunden unentwegt von der Türkei vor und versuche, sie mit anatolischen Reizen zu locken. In der Türkei wiederum bin ich »Deutschländerin«, das heißt, dass die Türken von mir wissen wollen, wie Hans und Helga in Deutschland leben.

»Deine Herkunft weckt Interesse«, sagte einmal ein Mann zu mir. »Ich hasse Unpünktlichkeit«, erwiderte ich, weil er zwanzig Minuten zu spät zur Verabredung kam. Schön, dass mein Name und Aussehen interessant sind, denn das ist meistens das Einzige, woran man meine Herkunft auf den ersten Blick festmachen kann. Er schaute mich überrascht an und sagte: »Wieso, du bist doch Südländerin. Das dürfte dir doch nichts ausmachen.«

Das höre ich oft, ganz besonders im Sommer, wenn ich über die Hitze stöhne. »Du bist doch Südländerin. Dir kann es doch gar nicht heiß genug sein.« Aber ich muss meine Freunde in Deutschland enttäuschen und zeige ihnen meinen Sonnenbrand. Auch wenn ich anatolische Hüften, dunkle Haare und eine scharfe Zunge habe, so bin ich in dieser Hinsicht sehr nordisch.

Einmal stand ich mit meiner Schwester Fatma in der Türkei an einer Bushaltestelle. Es war drückend heiß, die Sonne brannte, und kein Bus weit und breit in Sicht. Ich suchte hektisch nach dem Fahrplan und ärgerte mich, dass ich nichts fand. Als der Bus kam, sagte meine Schwester: »Komm, Helga.« Noch heute lacht sie schallend, wenn sie sich daran erinnert. Busse in der Türkei sind wie Regenwetter. Man weiß nie genau, wann sie kommen, und meist lassen sie lange auf sich warten. Aber niemand würde sich darüber aufregen, dass ihm beim Warten die Sonne in den Nacken sticht.

Die Wahrnehmung von Zeit in der Türkei ist ein ganz eigenes Thema. Zeit ist immer da, wieso also sich hetzen? Ich möchte gar nicht daran denken, wie oft ich schon vergebens vor der Tür von türkischen Freunden stand, weil sie unsere Verabredungen einfach vergessen hatten. Mein Bruder Mustafa begrüßt mich oft mit dem Satz: »Kommst du heute nicht, kommst du morgen«, wenn ich wieder einmal eine Ewigkeit in Duisburg irgendwo gewartet habe, weil meine Familie sich nicht an vereinbarte Zeiten hält. Ich sage nichts und denke mir meinen Teil.

Meistens halte ich den Mund, bevor ich jemandem die Meinung sage. Und irgendwann, wenn es niemand erwartet, entlädt es sich, das Unwetter. Da bin ich schon fast wie meine deutschen Freunde. Wut und Stolz finden bei ihnen nur auf Nebenschauplätzen statt – am Stammtisch oder auf dem Fußballplatz. Die Deutschen spielen defensiven Fußball, und genauso diskutieren sie auch. »Das ist der Unterschied zwischen uns«, sagt meine Schwester Fatma: »Türken explodieren, Deutsche implodieren.« Dass ich mir selbst oft denke, »Du hast Recht und ich meine Ruhe«, verschweige ich ihr besser.

Als ich Anfang zwanzig war, sagten meine Freunde, dass ich Ausstrahlung hätte. Ich wusste nicht, was damit gemeint war, und suchte sie im Spiegel. Bis heute habe ich sie noch nicht gefunden, aber zumindest weiß ich, was ich mit ihr bewirken kann, und ich bringe sie immer dann ins Spiel, wenn ich sie brauche. Das ist sehr türkisch: Brust raus, Bauch rein, Hintern zusammenkneifen und dann ein selbstbewusstes Auftreten demonstrieren.

Natürlich bin auch ich in vielen Situationen unsicher, aber das würde man mir niemals ansehen. Ganz im Gegensatz zu den Deutschen. Sie weisen sogar noch darauf hin, wo ihre Schwachstellen sind. Oder wie ist es zu erklären, dass deutsche Frauen vor dem Spiegel stehen und sagen: »Mein Hintern ist zu dick, mein Busen zu klein und meine Haare zu dünn.« Natürlich hat auch eine türkische Frau Selbstzweifel, und häufig genug bekommt sie ihre Makel sogar von der eigenen Schwester aufgezählt, aber trotzdem bleibt sie cool, rückt sich mit zwei Handgriffen den Busen zurecht und faucht: »Pah, alles dran.«

Meine deutschen Freunde benutzen in letzter Zeit viel zu oft das Wort »Angst«. Sie haben Angst vor Arbeitslosigkeit, vor der Zukunft, vor Einsamkeit, vorm Versagen und neuerdings vor Terroranschlägen. Ihre größte Angst ist aber, über Gefühle zu reden. Wenn sie das Wort nur hören, bekommen sie Beklemmungen.

»Kein Wunder, dass die deutschen Männer vor dir weglaufen, das Gefühlsfeuerwerk, das du auf sie abschießt, macht ihnen Angst«, hat mein Freund Sascha einmal gesagt. Er ist der Ansicht, dass ich die Sache falsch angehe. Bei einem deutschen Mann, rät er mir, müsse ich mich in vornehmer Zurückhaltung üben, ein bisschen arrogant wirken und niemals zu früh über Gefühle reden. Deutsche Männer könnten sich sonst überfordert fühlen. Ich verstehe das nicht. Warum werden mir die besten Eigenschaften einer Frau – und zwar Offenherzigkeit, Leidenschaft und Erotik – untersagt, wenn ich einem deutschen Mann gefallen will?

Mit Emotionen gehe ich sehr türkisch um, zeige meine Freude und Trauer den ganzen Tag und überall. Die schönste Eigenschaft von Türken ist, dass sie ihre Leidenschaften nicht verbergen. Sie sind impulsiv und herzlich, und sie reden über ihre Gefühle, ohne darüber nachzudenken.

Auch mein Vater ist seiner Spontaneität gefolgt, als er vor über dreißig Jahren aus dem Bauch entschieden hat, nach Deutschland zu kommen. Ich lebte heute ein anderes Leben, wenn er nur mit seinem Kopf entschieden hätte und nicht aus seinem Dorf weggegangen wäre. Ich wäre schon längst verheiratet, hätte mehrere Kinder, und mit größter Wahrscheinlichkeit wäre ich Analphabetin. Mein Vater ist ein Gefühlsmensch. Obwohl er kaum lesen und schreiben kann, ist er ein kluger

Mann, der Weisheit und Bauchgefühl miteinander verbindet. Das Leben hat ihm beigebracht, was gut ist. Dabei ist es ihm egal, in welchem kulturellen Kreis er sich gerade aufhält, wenn er seine Entscheidungen trifft.

Aber ich muss nicht bis zurück in unser Dorf blicken, um zu erkennen, dass ich mich bereits Lichtjahre vom Türkischen entfernt habe. Mein Weg war untypischer als der Weg meiner Geschwister. Ich war achtzehn und hatte keine Lust, in absehbarer Zeit zu heiraten. Ich wollte mich noch ein wenig umsehen, was das Leben für mich bereithielt. Aber meine Eltern waren nicht abzubringen von der Meinung, dass ich bald heiraten und einen Ehemann bekommen sollte, der für mich sorgt. Ich wehrte mich gegen das Leben, das meine Eltern nach ihren türkischen Traditionen für mich vorgesehen hatten, und zog aus.

Natürlich waren meine Eltern nicht erfreut darüber, dass ihre Tochter fortging, um alleine zu leben. Sie versuchten mich zu überreden, eine Familie zu gründen oder zumindest wieder zu ihnen zurückzukehren. Aber für mich war mein Auszug ein Aufstand gegen die türkischen Heiratstraditionen und ein leiser Kampf, den ich vor dem Kleiderschrank kämpfte, um weiterhin enge Jeans tragen zu können. Ich bin nicht ausgezogen, um meine Eltern zu provozieren. Ich wollte nur meine Teenie-Träume leben, mit Jungs ins Kino gehen, Eis essen, küssen und später, wenn ich alles ausprobiert hatte, vielleicht heiraten.

Heute sagt mein Vater über mein Leben: »Jeder Hahn kräht auf seinem eigenen Misthaufen.« Er kommentiert nichts mehr, sondern schüttelt nur den Kopf, wenn ich ihm von meinem unabhängigen, selbstbestimmten Leben erzähle, in dem ich mein eigenes Geld verdiene. Er versteht es nicht, aber er hat mein Leben, so, wie es ist, akzeptiert. Und wenn er mir einmal wieder in der Vatersprache zu verstehen gibt, dass ich nun endgültig den Zeitpunkt zum Heiraten verpasst hätte, fügt er stets hinzu: »Ein alter Wolf wird zum Gespött der Hunde.«

Ich weiß, dass er sich insgeheim um mich sorgt und hofft, dass meine Geschwister sich um mich kümmern werden, wenn er nicht mehr da ist. Für meine Nichten und Neffen bin ich jetzt schon die verrückte Tante, die nie heiraten und irgendwann, wenn sie alt ist, bei ihnen wohnen wird. Ich stelle das Bild einer traditionellen Türkin ganz schön auf den Kopf. Ich bin eine Singlefrau, eine Großstädterin, die sich manchmal als Türkin verkleidet, wenn sie mit einem Kopftuch ihr anatolisches Dorf besucht.

Es hat sehr lange gedauert, bis mein Vater aufgab, mich unter die Haube bringen zu wollen. Als er soweit war, musste ich einsehen, dass ich mit fünfunddreißig Jahren von einer Frau wieder zur Tochter geworden war. Aber ich finde es in Ordnung, dass ich wieder seine Tochter bin, meinetwegen auch seine türkische Tochter, für genau die Dauer meines Besuchs bei ihm. Denn ich weiß, gleich fahre ich mit wehenden Fahnen wieder in meine andere Welt. Und wenn meine deutschen Freunde mich fragen, ob ich irgendwann wieder in der Türkei leben wolle, antworte ich: »Nein, du?«

Dank

Ich danke meinem Vater, der seine Arme für die verlorene Tochter wieder öffnete und es mir ermöglichte, mit einem liebevollen Blick auf meine Herkunft, Religion und Traditionen zu schauen.

Neriman Gürkan für stundenlange Telefonate zwischen Berlin und Izmir. Michaela Rothmund fürs Lachen, obwohl mir eigentlich zum Heulen war, und Lena Bergmann für den Zehn-Punkte-Dating-Plan. Mathias Bucksteeg danke ich für Berlin und Sandra Garbers für die unzähligen Flaschen Prosecco.

Jürgen Rumbuchner für den Beweis, dass es doch Freundschaft gibt zwischen Männern und Frauen.

Claudia Negele, die Geschichten in mir ausgrub, von denen ich dachte, ich hätte sie bereits vergessen. Michaela Röll für ihre unermüdliche Geduld und Christine von Brühl für ihre türkische Seele und die schönen Stunden über den Dächern von Berlin.

Und C. danke ich für verliebbare Augenblicke bei den Fischen.

Mein besonderer Dank gilt jedoch Brigitte Kruse. Alles wäre anders ohne sie.